D1458557

Enzo Biagi

Un giorno ancora

Proprietà letteraria riservata
© *2001 RAI-ERI, Roma / RCS Libri S.p.A., Milano*

ISBN 88-17-86883-3

Prima edizione: novembre 2001

«Vile, veramente vile, è chi ha paura dei suoi ricordi.»

Elias Canetti

«È matto chi non indugia al ricordo.»

Alda Merini

«Che il mondo dei miei nipoti abbia pace.»

William Shirer

Non ricordo il nome dell'autore: forse Lucio d'Ambra, pseudonimo di uno scrittore alla moda quando ero ragazzo. Diventò anche, nel 1937, accademico d'Italia, e lo rivedo in una fotografia ufficiale, livrea e monocolo. Lo portava anche Erich von Stroheim, un corpulento attore tedesco, che emigrò a Hollywood e che era un po' il simbolo della tracotanza teutonica. E lo sfoggiava anche un bravissimo giornalista, Paolo Monelli, che lo spacciava per una scelta economica nel confronto degli occhiali: una lente sola. «È in uso» spiegava «anche tra i contadini portoghesi.»

Di d'Ambra conosco un'unica opera: *La sosta sul ponte.* La trovai durante la guerra, in una cartoleria abbandonata sulla Linea Gotica. Meglio di niente.

Poi un forte drammaturgo americano, Arthur Miller, che sul cavalcavia si era fermato per uno sguardo. Che indugiò di più su Marilyn Monroe, e fu passione e infelicità.

Lo conobbi nel mio primo viaggio negli *States*, come dicono gli snob. Miller era magro, nervoso, stempiato, lo sguardo vivo dietro gli occhiali di tartaruga, reduce da alcuni mestieri, da camionista a falegname, e dal primo moderato successo teatrale:

The Crucible («Il crogiolo»), appena sei mesi di repliche. Il tema è sempre vivo: quello dell'intolleranza. Allora imperversava il maccartismo, la campagna scatenata da un senatore contro i simpatizzanti dei comunisti, veri o presunti.

Arthur stava ancora con Nancy, una donna dolce, e andai una domenica a trovarlo a Brooklyn con Natalia Murray, che rappresentava Mondadori negli USA e conosceva tutti.

Poi ci fu Marilyn, e la mancai, poi Inge Morath, una brava fotografa della Magnum, che incontrai a Parigi, ed ebbi il piacere di andare in giro con lei e con Cartier-Bresson.

È il momento, credo, anche per me, di dare una occhiata dal viadotto; ormai sono più i ricordi delle speranze, e posso guardare alla mia vita senza troppi rimpianti. Sono stato molto fortunato. Ho sopportato una guerra e tre interventi sul cuore, e due anni di pneumatorace, e risulto vecchio per le donne e ancora giovane per l'editore.

Penso anche che le memorie più attendibili andrebbero pubblicate quando l'autore non c'è più: senza rischio di polemiche e con quel sereno distacco che contempla la condizione di defunto.

È anche vero, come diceva una indimenticabile padrona di bordello, che volle lasciare un segno della sua attività in un gradevolissimo libro di confessioni, che «il passato ha sempre il culo più roseo», ma non ho tanti motivi per abbandonarmi alla nostalgia.

Qualche notte, quando il sonno tarda a venire, ripercorro certi itinerari, o faccio degli appelli; una terza B, un battaglione allievi ufficiali, una redazione: da Abbondanza, era così bravo in matematica, a

Zanelli Dario, giornalista. «Nel bene non c'è romanzo» mi pare lo abbia detto Georges Bernanos: e non mi sono mancate le storie da raccontare.

È passato mezzo secolo dall'alluvione del Polesine: si preparano le rievocazioni.

Novembre 1951: ero ancora un giovane giornalista del *Resto del Carlino*; dopo pochi mesi emigrai a Milano; Arnoldo Mondadori mi offrì il posto di redattore-capo a *Epoca*, direttore era Bruno Fallaci, zio dell'Oriana. Fu lui che mi chiamò: l'avevo conosciuto a Firenze da poco liberata, durante una licenza dal fronte.

Adria era isolata: anche l'ultimo tentativo di raggiungerla era fallito. Sette chilometri di acqua limacciosa ci divideva dalla cittadina polesana. Un anfibio, messo a disposizione dai pompieri, era stato immobilizzato dalla fanghiglia. Le barche a motore non resistevano alla foga della corrente. Non si sapeva nulla degli abitanti che non avevano potuto abbandonare le case raggiunte dalla piena. Strade interrotte, anche un ponte su un canale era crollato. Una colonna di cucine da campo sostava inutilizzata su una piazza. Anche le comunicazioni telefoniche erano cessate. A Cavanello si vedevano tre figurette su un tetto: una donna e due bambini. Aspettavano i soccorsi. Su un argine una piccola folla. C'era il padre e piangeva. Piangevano tutti. Era difficile convincere i contadini ad abbandonare il maiale o gli indumenti: prima portare in salvo la gente. In una località già inondata, a Bellombra, c'era da andare a prendere una donna colta dalle doglie. Partì un'imbarcazione, con una giovane ostetrica. «Lo chiameremo Rottiglio o Rottiglia,» disse «come si usa fare qui, quando nasce una creatura durante la rotta.»

Ho ancora in mente le signorine di un casino che ad Andria, scarmigliate e in camicia da notte, urlavano ai barconi dei soccorritori dal locale assediato, la disperazione dei contadini sugli argini dei campi sommersi, i granai allagati, le bestie impazzite dalla paura e dalla fame.

Tutte le sciagure si assomigliano. Acqua sporca che sale inesorabile, facce spiritate alle finestre dei piani alti, vacche che muggiscono sugli argini, povere cose che scivolano via sulle onde, c'è anche una culla, i corpi degli annegati che sono gonfi e lividi, carcasse di automobili travolte dal fiume che straripa, mentre continua a piovere, piove senza sosta, e pensi a quanti destini si compiono in poche ore.

L'Italia ha anche la monotonia del dolore, l'assuefazione ai guai; sui muri di Roma occupata dai nazisti e poi dai «liberatori» un ignoto scrisse: «Andatevene tutti, lasciateci piangere da soli».

Nel *Mulino del Po*, il romanzo di Riccardo Bacchelli che forse qualcuno ricorda perché Sandro Bolchi lo rese popolare con uno struggente sceneggiato televisivo, Mastro Subbia commenta: «E quanto a esperienza, è quel che ci rimane quando abbiamo perso tutto il resto».

E la colomba, quando si alza in volo dopo il diluvio, non porta da queste parti il ramoscello d'ulivo, ma il modulo di nuove imposte.

Nel basso Polesine, sulle rive del grande fiume, c'erano paesi dove le donne la domenica andavano a sedersi nei cimiteri e parlavano per ore con i defunti. Li tenevano informati, ma non avevano quasi mai novità belle da raccontare. La miseria, dicevano i personaggi di Bacchelli, viene in barca. Da sempre.

C'è una geografia dell'Italia disegnata dalle disgrazie: straripa il Po, e scopriamo il Polesine; un'altra alluvione mette in mostra i dolori della Calabria, o di Salerno; sussulta la terra, impariamo nomi sconosciuti: Gibellina o Forgaria.

La sventura non ha fantasia, si tratti del Po o dell'Arno, cambia poco anche il paesaggio, e nella fanghiglia si disperdono i raccolti, ma anche incunaboli o tele preziose, le testimonianze delle glorie passate con il pane di domani. Poi le autorità spiegano in televisione che la colpa è sempre di quelli che c'erano prima.

Quando Firenze è invasa dall'acqua e dalla melma, il disastro si fa ancora più vicino; alle solite storie di contadini, di pastori, di boscaioli, che spariscono nell'anonimo degli elenchi ufficiali, si aggiungono discorsi e nomi che sembrano tirati fuori dai manuali e dai testi letterari: Giotto, Cellini, Dante, Boccaccio. Possiamo dirlo: il diluvio è uguale per tutti, ma l'arca è ancora e sempre in progettazione. E gli imbarchi sono regolati: forse tu no.

Quasi ogni anno l'America è sconvolta da un tornado, il Giappone deve subire gli assalti tellurici e l'Olanda la rabbia del mare: nessun Paese, come l'uomo davanti alla morte, sa da che parte entrerà il lupo, ma tutti si preparano ad affrontarlo.

Non sono retori quelli che affermano che noi viviamo sugli slanci, sulla fantasia e, quando è possibile, sulla buona sorte: ci mostriamo smarriti e sprovveduti davanti al vento e all'inflazione, al disordine della società e alle forze della natura.

Nella vicenda di un cronista ci sono tanti disastri. Come le procellarie anticipa, o insegue, la tempesta.

Ho visto che cosa era rimasto di Dresda dopo il bombardamento degli inglesi e degli americani. Più morti che per l'atomica. Prima caddero i bengala, bianchi, rossi e verdi, poi le incendiarie. Ogni strada era segnata dal fuoco. Gli uomini morivano asfissiati o bruciati, l'aria era irrespirabile.

Anni dopo ho passeggiato tra edifici vuoti come scheletri, avvolti in un silenzio che faceva paura. La storia non registra le lacrime.

Sono andato da cronista in Vietnam. Saigon era un infernale e allegro bordello. Piccoli ruffiani dagli occhi furbi e dai denti coperti d'oro offrivano la loro mercanzia: «John, ti serve una bella ragazza per questa notte?». Una caccia spietata ai vietcong e ai maledetti dollari degli yankee.

Dal buio equivoco dei bar usciva musica jazz, profumi di Parigi e di whisky rubato ai depositi USA. Sui marciapiedi i mendicanti e i lustrascarpe invocavano la loro razione di benessere: «Cinque piastre, per favore, John, accidenti a te, dammi cinque piastre».

Dal tetto dell'Hotel Caravelle, che alloggiava anche due altri inviati davvero «speciali»: John Steinbeck e Moshe Dayan, si vedevano lontane le scie dei proiettili traccianti e il vento portava il rombo cupo delle batterie.

Più tardi ho conosciuto il capitano Ernest Medina, per gli amici Ernie. Era stato soldato di professione, ma quando lo incontrai risultava vicepresidente di una industria che fabbricava elicotteri.

Si era parlato molto di lui: comandava la compagnia Charlie che, a dar retta agli atti del pubblico ministero, «il 16 maggio 1968 uccise con premeditazione a My Lai, nella provincia del Quangnagai, non meno di cento persone».

C'era chi non aveva dimenticato i suoi ordini. Ripeté il fante Martin: «Distruggete tutto quello che si muove»; disse il fante Flynn: «Eliminate tutto»; mormorò il fante Lamartina: «Sparate a chiunque respiri».

Richard Nixon riconobbe che My Lai offendeva la dignità degli Stati Uniti. Le nazioni alleate alla fine del conflitto processarono a Norimberga i generali di Adolf Hitler colpevoli di crimini, e anche quelli giapponesi furono impiccati. Ma l'US Army non poteva condannare se stessa.

Intervistai nel palazzo che agli Invalides ospita i grandi dell'Armée, Massu, che aveva comandato i parà ad Algeri, e mi spiegò la moralità della tortura (le prime esperienze erano state fatte in Indocina). «Si può dire tutto quello che si vuole,» spiegò «ma di una città che era a ferro e fuoco, dove le bombe scoppiavano in continuità, la tortura ha fatto un posto calmo, tranquillo. E mi sembra una risposta sufficiente.»

Beirut era l'insidia, l'incertezza, il fiato trattenuto; anche sulla jeep del generale Angioni, che ogni notte ispezionava le sentinelle, anzi: voleva fargli sentire che in quel buio, nella minaccia, viveva anche lui; rivedo i grossi e schifosi topi che si muovevano avidi tra i detriti e le rovine, i soli esseri che non avevano nulla da temere.

Ho volato per due giorni consecutivi con il fotografo Gianfranco Moroldo su un piccolo Piper da noleggio dall'aeroporto di Wilson, periferia di Nairobi, a Mogadiscio: una striscia di terra battuta vicino al mare, che avevano trasformata in pista. C'era solo una antenna radio e una baracca.

Sulla spiaggia, qualche cormorano e carcasse di carri armati che il sole distruggeva, ricordo di altre battaglie.

Una camionetta (in gergo «una tecnica») con ragazzi dalle strane divise, che manovravano una mitragliatrice pesante e agitavano i Kalashnikov, cimeli della fraterna amicizia di una volta con il popolo sovietico, ci aspettava.

Facevano venire in mente gli eroici cialtroni di Pancho Villa. E tra loro c'era anche l'inevitabile trafficone, che subito mi offrì decorative uova di struzzo. Bisognava arruolare una scorta per fare un viaggio all'inferno; a Mogadiscio la popolazione era composta di morti che camminavano, di mercenari e di ladri. Fu la prima volta che incontrai non la rassegnazione per la fine, ma la noncuranza per la vita.

Avevano abbattuto anche gli elefanti per l'avorio, i leopardi per la pelle, le gazzelle nane, i gentili dik dik, perché la carestia non conosce ragioni; anche le bestie selvagge sono finite sui fuochi.

Gli antichi egizi dicevano che questa «è la terra degli dèi», e un amico che laggiù visse nei «giorni del colonialismo», che ha combinato anche porcherie, ma mai quanto la libertà, mi raccontò che allora l'aria profumava di gelsomino.

E una principessa inglese, all'inizio del secolo, scriveva che l'Africa «vi mette le mani addosso, e una volta avvinti dal suo tocco magico, non si può più dimenticarla».

Forse quella signora era una grande romantica: Mogadiscio era avvolta da un lezzo che opprimeva, materie che si decomponevano, cose che marcivano, merda. Avevano rubato anche le tubature, non erano capaci di aggiustare le pompe dei pozzi e il liquido che riuscivano a raccogliere abbondava di magnesio che agiva da lassativo su disgraziati già afflitti dalla diarrea. Merda ovunque.

Non c'era una casa che non fosse stata colpita dai mortai, o scheggiata dalle raffiche delle armi automatiche, altro non ho visto; non ricordo un cane o un gatto, e le belle ville che alloggiavano i ricchi bananieri, i diplomatici, i facoltosi mercanti, erano demolite o svuotate: mattonelle, cessi, condutture elettriche, tutto si comperava, tutto si vendeva. Dice un proverbio di queste parti: «Chi ha un fucile domani comanderà».

Raccontavano di un vecchio che camminava lungo una carovaniera, con il nipotino sulle spalle, in cerca di cibo. Vagava stremato e non trovava nulla, e a un tratto cadde ucciso dall'inedia, dallo sfinimento.

Passò per caso una automobile, una di quelle scassate vetture che non conoscono limite di peso e di passeggeri e raccolse quella creaturina sbandata, che non poteva dire nulla perché non sapeva parlare.

In una officina sbrindellata e ridotta a dormitorio – stracci, piscio, corpi rannicchiati, immobili –, c'era una mamma che bisbigliava qualcosa al bimbo che teneva tra le braccia, forse per fargli dimenticare la fame.

– Che cosa gli racconta? – chiesi.

«Una favola.»

– Come comincia, e cosa dice?

«Comincia come sempre: "C'era una volta". "C'era una volta uno sciacallo che andava a caccia con tre leoni. Cammina e cammina, scorsero, in fondo a un burrone, un'antilope ferita.

"'Andiamo a mangiarla' propose un leone.

"'E lo sciacallo dubbioso: 'Ma dopo come facciamo a risalire?'".

"'Ma di che cosa ti preoccupi' disse un altro leone. 'Quella ci basterà per sempre.'

"Lo sciacallo, saggio, non ne volle sapere. Dopo un giorno si affacciò sul dirupo e chiese: 'Come va?'.

"'Benissimo, siamo sazi.'

"Ritornò a chiedere notizie dopo una settimana; vide gli amici assai sconsolati: 'Ci rimangono solo le ossa'.

"Passarono altri giorni e ritornò a vedere come andava a finire: 'Ci siamo spolpati uno di noi'.

"Si fecero fuori a turno e alla fine anche l'ultimo morì. Solo lo sciacallo sopravvisse."»

Gli occhi dei bambini somali che invocano la carità mi inseguono, come un rimorso.

Confesso che per un certo tempo ho pensato che solo i nazisti potevano tranquillamente porre in atto certe rappresaglie o applicare regole che non si conciliano neppure con la crudeltà della guerra. Poi si è scoperto che nel bosco di Katyn migliaia di ufficiali polacchi prigionieri erano stati sterminati dall'Armata Rossa: i tedeschi non c'entravano. La malvagità non ha bandiere.

Sono stato anche a Sarajevo: ho visto una donna che era stata violentata da cinquanta uomini. Costrinsero un vecchio a far l'amore, nudo in un lager, con una ragazza che gridava; e mi vengono in mente i rabbini umiliati da quelli della Wehrmacht che gli tagliavano sghignazzando le lunghe barbe bianche.

Ero a Mosca per una inchiesta e un'amica mi condusse una sera al Conservatorio. C'era un pubblico dagli abiti modesti ma che rivelava tanta dignità. E poi nel programma figurava uno spartito straordinario: la sinfonia *Baby Yar*, musica di Dmitrij Šostakovič, versi di Evgenij Evtušenko, presenti gli autori, ma che non godeva del consenso delle autorità. Era dedicata agli ebrei massacrati nella cittadina dagli invasori nazisti, spesso con la collaborazione dei russi o degli ucraini.

Dopo mezzo secolo è uscito a Mosca il *Libro nero* che compilarono Vasilij Grossman e Il'ja Erenburg: anche Stalin, ha confermato Molotov, «diffidava degli israeliti». Dopo l'attacco del Terzo Reich contro l'Unione Sovietica, avevano creato un Comitato antifascista, presidente era un attore famoso: Solomon Michoels. Cadde vittima di un «incidente» a Minsk. Si salvarono gli altri membri, il violinista David Ojstrach, Sergej Ejzenštejn, il regista, e il fisico Pëtr Kapica, perché erano troppo famosi.

Ora la corte internazionale dell'Aja sta giudicando Slobodan Milosević e un giorno dovrebbe occuparsi anche di Ratko Mladić e di Rodovan Karadzić. Un rapporto dei caschi blu olandesi racconta come, tra l'indifferenza del mondo che ha chiuso gli occhi, a Srebrenica, un nome sentito tante volte in televisione, o letto sui giornali, forse migliaia di uomini, donne e bambini sono stati abbattuti in pochi giorni: 8000 risultano dispersi. La guerra in Iugoslavia ha già contato 200.000 morti.

L'anagrafe e il mestiere mi hanno fatto vivere il 1940 e poi raccontare Saigon e Belfast e Bucarest e Mogadiscio e il Libano. Ho visto le rivolte dei neri e tante altre infelicità di bianchi o di gialli; piangono tutti nello stesso modo.

È vero: la vita è memoria. Forse per questo è sempre un po' faticoso rievocare il passato: ti trovi solo con te stesso a tracciare un bilancio.

Una volta, chiacchierando con un amico, dissi che il tempo che mi aspettava si poteva misurare anche in panettoni: tenendo conto delle statistiche ero ancora in credito con l'esistenza di sei o sette. Rimangono poche fette.

Nei miei ricordi non c'è rimpianto; sono sicuro di avere ricevuto più di quello che mi aspettavo. Ho visto il mondo, ho incontrato gente e devo molto al mio prossimo.

Se ripenso ai natali, tornano alla mente quelli dell'infanzia povera: camera e cucina, a pianterreno, in via Sant'Isaia, a Bologna.

Io e mio fratello più piccolo dormivamo con i nostri genitori e giocavamo in un cortiletto di cemento. Leggevamo i libri della bibliotechina parrocchiale: l'interminabile *I tre boy-scouts* mi ha fatto molta compagnia.

Non avevamo il senso delle cose che ci mancavano: guardavamo con rispetto, ma senza invidia, i figli del barbiere e del sarto, che avevano una bottega e più risorse; ma credo fossimo contenti. Mia madre, del resto, è morta chiedendomi se facevo molta fatica ad arrivare a fine mese.

Certo, mi sarebbe piaciuto anche avere l'*Enciclopedia dei ragazzi*, che potevo sfogliare a casa di un compagno di scuola. Mio padre caricava allo zuccherificio camion e vagoni, e i droghieri, alla vigilia della festa, erano prodighi di liquori e forse anche di qualche mancia. È un dovere essere più buoni.

Annunciò che sarebbe tornato presto e che avrebbe portato l'anguilla: per mia madre, servita con la polenta, era più che un uso, una specie di devozione. Pensava anche che un indumento nuovo a Pasqua risparmiava una malattia: se la cavava magari con un fazzoletto.

Avevamo preparato anche noi il presepe, ritagliandolo dal cartoncino, e il cielo, sotto la vetrina, era un foglio di carta blu della «Provvida», lo spaccio dei ferrovieri che noi frequentavamo abusivamente, nel quale erano stati avvolti gli spaghetti.

Le ore passavano, la mamma, seduta sul sofà rosso, piangeva silenziosamente: «Chissà che cosa gli è successo» mormorava ogni tanto.

Finalmente il pover'uomo arrivò barcollando ed esibendo uno sgocciolante capitone: quel giorno il vermut e il cognac dei brindisi con i droghieri gli avevano tagliato le gambe. Mia madre diventò a un tratto dura e severa, e io le volli meno bene: «Che vergogna,» diceva «ubriacarsi mentre nasce il Bambino».

Lui tentava di giustificarsi: «Ma è tanto piccolo», poi si buttò sul letto e sprofondò nel sonno. Si alzò durante la notte e mangiò da solo.

Forse quel lontano 24 dicembre ha pesato sul mio carattere: mi è rimasta dentro l'insicurezza, il senso del provvisorio, la convinzione che per ogni miracolo, un grande pesce o un sorriso felice, c'è qualcosa da pagare. Dario Biagi fu Marco si era guadagnato una sera da ricco; troppo bello: ci arrivò stordito.

Poi ci sono stati natali d'ogni genere: sotto le cannonate o nell'affanno di una metropoli, tra sconosciuti: vi piacciono i pattinatori di Rockfeller Center, quella musica, quelle luci, o rimpiangete i falò del vostro paese sui monti, il ginepro che scoppietta e riempie l'aria di faville, le facce rosse dei bambini e l'organo sfiatato che accompagna il prodigio di Betlemme con il valzer della *Traviata*?

Non bisogna inseguire se stessi: è una corsa perduta.

Mi disse un collega inglese: «Avete un maledetto gusto per le ricorrenze». È vero: ma è il solo modo per segnare il tempo e tentare un paragone. Anche i bilanci sono una nostra specialità: soprattutto se c'è da distribuire encomi.

Sono nato come conseguenza, penso, anche dell'ottimismo suscitato dalla fine del diluvio, nel 1920. Era appena scomparso quel mondo ordinato e sereno che suscitava il rimpianto di Stefan Zweig. Anche se trovo legittimo qualche dubbio su quella armonia e quella perduta felicità. Ne uccise più l'epidemia di «spagnola», ad esempio, che i cannoni di Verdun e del Piave.

Tra i contadini, costretti a sfamarsi a polenta, imperversava la pellagra. Diceva una canzone romagnola: «Pulenta cruda / furmai d'Ulanda / l'è la vivanda / dell'emigrà».

Nelle famiglie si ammazzava una gallina in occa-

sione delle grandi feste o quando una donna parto-
riva.

Il villaggio dove sono nato non figura di solito
nelle mappe. Su una antica carta topografica che
trovai in una botteguccia di antiquario, in Germania, dalle parti di Rostock, vidi che era segnato come «Lizzan matto». Io posso essere contato con i
cinquanta abitanti che resistono impavidi a tutti i richiami nella frazione di Pianaccio. Traduzione:
brutto poggio. Ed è così: scosceso e soffocato dalle
montagne che incombono. Viene buio presto.

Il mio nome figura non solo nel cimitero, ma an-
che in due lapidi che ricordano le donazioni dei
Biagi che mi hanno preceduto alla parrocchia di
San Giacomo.

Ho sempre pensato che i miei predecessori dovevano essere dei disgraziati, forse inseguiti dai gen-
darmi del papa, o dai nobili che comandavano da
quelle parti, tra gli altri Matilde di Canossa, altrimenti avrebbero scelto un posto più comodo. C'è
solo l'aria buona e l'acqua e poi i castagni che, con
qualche trota dei due torrenti e qualche pecora o
capra, garantivano la vita.

D'inverno, gli uomini andavano a far carbone in
Sardegna o in Maremma, le greggi scendevano in
pianura accompagnate dall'abbaiare dei cani. Le
rondini, in volo verso il caldo, lasciavano i loro nidi:
sarebbero tornate a primavera.

Le mogli filavano la lana e recitavano il rosario,
in attesa dell'inevitabile gravidanza che avrebbe segnato anche il ritorno dell'estate.

C'è chi, dovendo compilare una scheda personale, mette una nota: «Di vecchia famiglia antifascista». Direi il falso: Bruno Biagi, che era avvocato e

professore, mio secondo cugino, diventò anche vi-ceministro delle Corporazioni, ma mi fa piacere poter dire che morì povero. Camerata ma non arricchito. Mio zio Gigi marciò, si fa per dire, su Roma, anzi: ci andò comodamente in treno e disse a mio padre: «Vieni anche tu, si viaggia gratis», ma il mio babbo non partecipò alla trasferta. Diventò, venti anni dopo, camicia nera con il passaggio al fascio degli ex combattenti. Lo zio, invece, non resistette al richiamo dei camerati di Salò e venne fucilato dai partigiani. Prima lo spalmarono di marmellata, poi lo legarono a un palo.

Era estate, dal bosco dove lo avevano portato vedeva i suoi campi e i suoi ragazzi. Gli era già morta la madre. Gli spararono alcuni russi disertori, e lui aveva scritto una lettera nella quale diceva: «Non fate del bene». Del resto Gesù su dodici apostoli ne sbagliò un paio: Giuda e il non impavido Pietro. Però si può recuperare: l'hanno fatto santo.

Io sono il primo balilla di Pianaccio; quando mia nonna maestra ebbe l'ordine di trovare arruolati, fui iscritto, con mia cugina Pina, «piccola italiana», d'ufficio.

Andai anch'io in divisa da avanguardista regolamentare (la indossavano, però d'orbace, Marconi e gli altri accademici) in pellegrinaggio a Predappio, alla «casa natale del duce».

Nella stanza dove dormiva da ragazzo c'era ancora il materasso riempito di foglie di granoturco secche che, a toccarlo, scricchiolavano.

Nel cimitero la tomba di Benito Mussolini è adesso nel sotterraneo. Un lume tenue rischiara la pietra dei sarcofaghi. «Un giorno qui andrò io, Rachele, e qui tu» disse una volta alla moglie, e segnò il posto, accanto al figlio Bruno, fra i suoi genitori.

Non so se ci sono ancora gli stivali e i pantaloni alla cavallerizza che portava al momento della fucilazione. C'era anche il biglietto del tribunale sul quale un cancelliere aveva scritto: «Corpi del reato numero 349».

A pochi passi, sotto il portico, una semplice croce indica il luogo dove è sepolto un altro paesano, l'avvocato Adone Zoli, un avversario del regime, che da presidente del Consiglio permise alla salma di Benito di tornare alla sua terra.

Quando «donna Rachele», come la chiamavano durante i vent'anni imperiali, andava in visita al cimitero, metteva un fiore anche su quella lapide. «Poverino, anche tu» la sentii mormorare.

Per lei, la caduta del fascismo aveva quasi l'aria di una faccenda domestica. Raccontava: «Quella mattina tornò che già albeggiava. L'ho aspettato e gli avevamo preparato una tazza di brodo. Quando aprì lo sportello della macchina gli dissi: "Bene, come è andata?". Lui rispose: "Abbiamo fatto il Gran Consiglio". Chiesi: "Li hai fatti arrestare tutti?". E lui: "Lo faremo". Ma sapevo che mio marito non ne sarebbe stato capace.

«Ha bevuto una tazza di camomilla e siamo andati a riposare».

Il 25 luglio 1943 era domenica. Io ero un giovane cronista del *Resto del Carlino* e lavoravo volentieri nei giorni di festa: doppia paga. Facevo l'estensore: traducevo in notizie gli appunti dei colleghi che facevano il giro della questura e degli uffici pubblici.

L'Agenzia Stefani batté alla telescrivente l'annuncio delle dimissioni del duce: la portò in redazione uno stenografo. Qualcuno propose di pubblicare anche l'Inno di Mameli, ma nessuno ricordava tutte le parole.

Fu la mia prima esperienza di fronte a un evento: e vidi le danze scomposte dei voltagabbana. Vecchi squadristi che gettavano il distintivo del fascio, ossequiose camicie nere che applaudivano alla caduta.

Arrestarono il professor Goffredo Coppola, che all'università insegnava greco e latino, perché aveva fatto un saluto romano: si era laureato a Heidelberg, gli piacevano i tedeschi e aveva appena pubblicato una *Vita di Epicuro*. Sembrava innamorato del capo. Infatti lo seguì fino a Dongo e venne fucilato assieme ai gerarchi. Un idealista onesto.

E incominciarono le rivelazioni: il duce aveva una amante.

È l'ora della verità: sono una ex piccola camicia nera, un balilla del 1926, anno della fondazione. Frequentavo la seconda elementare. Poi, nel 1937, GIL: Gioventù italiana del Littorio. Dentro ci finivano tutti, le bambine e i più piccini che erano chiamati, poveretti, Figli della Lupa, e dovevano imparare una preghiera, oltre all'amore per il libro e il moschetto. Diceva: «Io credo nel sommo Duce, creatore delle camicie nere, e in Gesù Cristo, suo unico protettore».

Il più forte calciatore di quel tempo, Meazza, è soprannominato «il balilla», una pubblicità informa che «i futuri balilla vengono allevati col Mellin», e hanno perfino un decalogo, di cui cito due comandamenti: «Noi siamo le speranze e la letizia del Duce», «Per la vita e per la morte grida il balilla: "Dio, Italia, Savoia e Mussolini"».

24

Ogni tanto mi chiedo: «Che cosa ne è stato di quei bei bambini?».

Tutto, allora, era «eroico», e il mio amico Federico Fellini diceva: «Con quello che ci hanno insegnato, se non siamo cresciuti completamente stupidi, è stato un miracolo».

Gli avvenimenti strampalati o sgradevoli accadevano solitamente all'estero: tutti i cornuti, ad esempio, nelle commedie e nei film avevano la residenza a Budapest e la cittadinanza ungherese. Del resto è là che cercavano rifugio anche i benestanti infelici per strappare una parvenza di divorzio.

Di quei giorni eroici, io che non sono un impavido, ricordo soprattutto gli aspetti comici. Il federale di Bologna, ad esempio, che dal Cassero, una antica costruzione superstite delle mura della città, proclamando la guerra santa declama: «Non abbiamo mai *indietrato* e non *indietremo* mai».

Ma c'è anche qualche insidioso dissidente, un oppositore. *Il Giornale di Genova* (16 novembre 1929) riferisce il caso del balbettante Enrico Savori che, alla vista del ritratto di Mussolini, farfuglia: «Blutt, Blutt "Ussolini", "attivo", "attivo"», ma la colpa è della domestica Maria Plattrier di Bolzano che glielo ha insegnato, ed è scoperta e denunciata. Provvede il padre alla rieducazione politica, ed Enrico lancia il suo gridarello riparatore: «Blavo, blavo Mussolini. Eia, eia, alalà».

In una corrispondenza da Ancona, *Il Popolo d'Italia* dà la notizia in cui si narra di Marella, figlia di un facchino, che è nata con la voglia di un fascio littorio sul fianco sinistro, com'era volontà della mamma che aveva «espresso con sincerità questo desiderio».

Cosa dice la *Ninna nanna* per le seconde classi del 1939? «Dormi, figlio, non è nulla / c'è la mamma che ti culla / c'è la mamma che ti canta / che nel cuore un fior pianta. / Se dal bosco esce la fiera / dille: "Son camicia nera".»

Tutti si adeguano; del resto anche il sovrano viene chiamato, ma sottovoce, Littorio Emanuele. Che delusione, Mussolini. Sembrava una persona così perbene: tutto casa, sempre del fascio, e famiglia. Non beve liquori, non fuma, appena un sorso di vino mangiando. Ogni giorno, dalla mezz'ora ai quarantacinque minuti di esercizi fisici: moto, sci, equitazione, bicicletta, scherma, anche se non fa più duelli.

Legge una settantina di libri all'anno, anche in francese, tedesco e inglese, compresi i romanzi di cui si parla. Non gli dispiace il jazz: «Come ballabile» spiega «lo trovo divertente».

La figlia Edda ne rivela le debolezze a un giornalista francese: spacca gli aghi perché non sopporta le punture (erano anche il terrore di Al Capone: notazione puramente di costume), lo infastidisce la gente che tossisce e si addormenta rapidamente, dalle undici di sera alle sette del mattino; considera la donna «soltanto uno sfogo per gli istinti sessuali»: si sfogò con una giornalista francese Magda Fontanges, da Ida Dalser ebbe un figlio morto piccolo, Margherita Sarfatti era considerata da Rachele «la più pericolosa e intelligente», e alla fine Claretta Petacci. Ma, concludeva soddisfatta «la legittima», come dicono i francesi: «Non passò mai una notte fuori».

Aveva gusti semplici: minestra in brodo o tagliatelle, poca carne, verdure – radicchio, cipolline fresche. Acqua minerale e latte. Pretende che le sue amiche non si profumino. La sera si fa proiettare qualche film, preferibilmente pellicole storiche o comiche: apprezzatissimi Stanlio e Ollio.

Parlai con Myriam Petacci, la sorella. Qualcuno forse la ricorda come Miriam di San Servolo. Ha interpretato cinque o sei film in Italia e una quindicina all'estero. Era ancora una bella signora.

Raccontò della sorella con tenerezza: «Il primo incontro avvenne per caso. Stavamo andando a fare una passeggiata a Ostia, quando incontrammo la macchina del duce. Era l'estate del 1932. E Claretta gridò piena di entusiasmo: "È il duce, è il duce".

«Lui correva sulla sua Alfetta rossa, lei, invasata, lo inseguì con la sua Lancia Astura. Era fidanzata con un ufficiale d'aviazione e stava per sposarsi, ma fin da bambina delirava per il capo; era una fanciulletta quando tirò un sasso a un muratore che, sentendo ragliare un asino, commentò: "Parla il duce".».

Il conduttore frenò e Claretta, emozionata, confessò: «Duce, è da tanto tempo che aspettavo questo momento».

Due giorni dopo una telefonata: «Sono quel signore della via di Ostia; se volete venire da me a Palazzo Venezia, domani c'è il passi».

Lei, ovviamente, corse, e lo sapeva tutta la famiglia, futuro sposo compreso.

Per un paio d'anni il rapporto fu platonico: lui la riceveva nel salone del Mappamondo e le suonava anche il violino. Si concedeva anche abbandoni poetici: «Senti la primavera? Io la sento molto in questa città dove malgrado tutto vivo da solo».

Poi lei si separò dal marito e le cose cambiarono.

Il duce si rivolse alla madre della ragazza, la signora Giuseppina, molto religiosa, e arditamente le chiese: «Mi permettete di amare Clara?». Risposta: «Mi conforta l'idea di saperla accanto a un uomo come voi».

Lei gli fu vicina, fino a Dongo. Forse presagiva quel finale. Aveva confidato: «Glielo ho detto che è circondato da traditori. Ma non c'è niente da fare: è un fesso».

È vero: «Sono così brevi i giorni dei vent'anni». Lo ha detto Renato Serra che morì, nel 1915, sul Podgora.

Ogni stagione della vita, mi sembra, ha un odore o delle immagini che il tempo non cancella. Mi vengono in mente certe pubblicità: ad esempio il Proton, un ricostituente per i ragazzi che negli anni del proibizionismo, dicevano, esportavano anche in America: conteneva un po' d'alcol e i beoni si attaccavano alla bottiglia. Meglio di niente.

Mia madre non se lo poteva permettere e ci faceva trangugiare, prima di sederci a tavola, un cucchiaio del disgustoso olio di fegato di merluzzo.

Del resto, mi pare che Balzac abbia dato della cerimonia una versione filosofica, quando diceva che è molto fortificante ingoiare ogni mattina un rospo.

Appartengo alla generazione che leggeva sui muri le frasi ammonitrici del duce: «Credere, obbedire, combattere»; poi aggiunse: «Vincere», e fu una batosta.

Allora non si parlava degli insegnamenti della

Montessori o del dottor Spock e non si lasciavano tanto le briglie sciolte: «Non si fa, non si dice», e un gran spreco di rispettose maiuscole: «Signor Prefetto», «Signor Maestro».

Qualcuno ha spiegato che si mandavano i ragazzi a scuola perché non si sapeva cosa farne a casa.

Eravamo il frutto del reducismo e della vittoria, e nessuno teneva la contabilità: più di dodici milioni di morti, più di venti di feriti. Credo che solo Churchill abbia detto che in un secolo non si sarebbero cancellati i danni di quella che, impropriamente, per tanto tempo abbiamo chiamata «la grande guerra»; poi c'è stata, nel 1939-40, la replica.

Quante cose sono sparite, cancellate dal tempo o magari dal progresso: sarà difficile, in futuro, pubblicare epistolari, corrispondenze amorose. Non ci sono più i macinini sopra i camini, gli organetti di Barberia che strimpellavano canzoni o arie classiche per le strade e nei cortili, i lapis, le sartine, protagoniste di rimpianti e di commedie crepuscolari, i *feuilletons*, i romanzi a puntate sui quotidiani, spariti i nobili e i tempi dei *tycoons*, dei ricchi.

I signori erano serviti da tanti domestici, possedevano (e qualcuno possiede ancora) castelli e centinaia di ettari di terreni, e attorno a loro vivevano interi villaggi, di solito il curato gli insegnava i primi rudimenti e imparavano a leggere (qualcuno, come Tomasi di Lampedusa, anche a scrivere). Cacciavano il cervo, il fagiano e si davano appuntamento per il passo delle anatre.

C'erano i cocchieri per le scuderie, che spesso dormivano sul fieno, le bambinaie, le governanti e i cuochi: rileggere la descrizione della cucina di Fratte nelle *Confessioni di un italiano* di Ippolito Nievo. E contro i bracconieri, le guardie. Spariti i palafrenieri, i maniscalchi, i sellai, scomparsi i lampisti che la sera accendevano le lampade a olio o a petrolio.

Il cameriere, alle 8, bussava alla porta, apriva la finestra e ripeteva la consueta domanda: «La signora ha riposato bene?».

C'era il giorno delle visite: la signora riceve. Il lunedì dai Mocenigo, il giovedì dagli Aldobrandini. I bambini, di ritorno dalla passeggiata o dalle lezioni, passavano a salutare la mamma e gli invitati. Un cerimoniale completamente ignorato in casa Biagi: l'abitazione consisteva in cucina, dove si entrava direttamente da un cortiletto, e camera da letto, dove dormivano padre, madre e due ragazzini.

Mi pare non ci mancasse niente: la mia è stata una adolescenza felice. Con la raccomandazione di un cugino onorevole, avevamo ottenuto un alloggio in un caseggiato popolare, proprietà del comune, e tra gli inquilini c'erano pompieri e vigili urbani.

Era in via Pietralata, adiacente a via Pratello: *Unterproletariat*, popolino, come si diceva allora. Ma io ho bellissimi ricordi: cosa ne sarà stato di Corrado, che quando andò in Marina fu un campione di boxe e che era un genio della meccanica? C'erano sulle strade bilance anche automatiche di una ditta che, mi sembra, si chiamava «Giovanni Grasso fu Giuseppe», si introducevano quattro soldi e usciva un cartoncino con la foto di qualche campione dello sport, Girardengo o Carnera, e la scritta: «Il vostro peso è kg...».

Corrado aveva apportato, con un filo di ferro, una inversione di emissioni: invece che biglietti uscivano monetine. Dopo, allegria: al Cinema Italia, doppio programma e varietà. Se riuscivamo a sistemarci nella prima fila, quando le 6 ballerine 6 facevano la spaccata, si poteva intravedere anche un po' di pelo.

Sono nato in agosto, segno zodiacale Leone. Come Napoleone e Mussolini. L'ho letto negli oroscopi, ma non credo al destino, alle costellazioni e alle fronti ampie: san Tommaso, che mi pare fosse dotato, ce l'aveva bassetta e ce ne sono in giro di inutilmente spaziose.

Io sono stato un «fiore del regime»: balilla, avanguardista, giovane fascista, GUF. Vinsi anche i prelittoriali della critica cinematografica, a Bologna, ma ci fu la guerra e venne cancellata la finale. Non avevo interessi per la politica: scrivevo sempre di film e di libri sull'*Assalto*, organo della Decima Legio, il cui motto era «Frangar non flectar», mi spezzo ma non mi piego, da noi tradotto maliziosamente «ma non mi spiego».

Lo dirigeva un galantuomo, Carlo Savoia, e molti di noi ragazzi cominciammo da lì. Fui uno dei due giornalisti (l'altro era Guido Aristarco) che difesero *Ossessione* di Luchino Visconti, opera considerata troppo pessimistica e permeata da un eccesso di realismo.

Lo giravano attorno a Ferrara e la troupe era felicissima; mi raccontò il mio amico Giuseppe De Santis, aiuto di Luchino, che, nonostante il razionamento, mangiavano allegramente e le ragazze non erano insensibili alle attenzioni dei cinematografari.

Fu allora che Peppe mi consigliò di leggere, in un libro del Labriola, pubblicato da Laterza, il *Manifesto dei comunisti*: lui lo era e io lo rispettavo, ma quando venne l'ora di scegliere andai in una brigata «Giustizia e Libertà» del Partito d'Azione.

Ero già redattore del *Resto del Carlino*: cronaca e vice di Eugenio Ferdinando Palmieri per la rubrica di critica cinematografica.

Direttore era un disincantato giovanotto, Giovanni Telesio, che veniva da Londra, dove era corrispondente, e aveva conosciuto il nostro editore, Dino Grandi, un romagnolo «quadrumviro della rivoluzione fascista», ambasciatore presso Sua Maestà il re d'Inghilterra, di idee aperte o forse liberali. Di sicuro, molto intelligente; c'era una battuta che, puntando anche sulle origini, lo dipingeva: «Da contadino a conte Dino»; il sovrano, lo aveva elevato a quel titolo nobiliare.

Il tono del giornale era pacato e in redazione circolavano anche barzellette antiregime. «Il duce è l'uomo che ha il bigolo più lungo del mondo: lui sta sul balcone di Palazzo Venezia e i coglioni sono in piazza.»

Alla radio i commenti ai «Fatti del giorno» erano affidati a Mario Appelius e a Giovanni Ansaldo, un antifascista finito alla corte di Galeazzo Ciano.

Molto intelligente e anche molto leale. Non si lasciava andare nella polemica contro il nemico alle esasperazioni di Appelius, che concludeva le sue concioni contro «la perfida Albione», con una invocazione al Cielo: «Dio stramaledica gli inglesi». Da come andavano le vicende del fronte si capiva che l'invocazione non era stata esaudita.

Conobbi Ansaldo durante un viaggio in India: l'Alitalia, che apriva una linea per Bombay, ci aveva invitati. Lo vidi che si avvicinava a una bancarella di strani semi colorati, e io lo avvertii dei rischi: «Caro amico,» mi rispose «ho digerito il massimalismo, poi il fascismo e adesso la Democrazia cristiana: a me non possono far niente».

Nel 1920 la gente sembrava ragionevolmente felice. John Dos Passos ricordava: «Gli ippocastani erano in fiore. Il mondo era una schifosa fogna di idiozia e di corruzione, ma era primavera». E Scott Fitzgerald: «Nella grande città non si era mai visto tanto splendore, perché la guerra vittoriosa aveva portato sulla propria scia l'abbondanza».

E Ungaretti, ricordando la guerra, annotava: «Non sono mai stato tanto attaccato alla vita». Mi pare che una canzoncina in voga esaltasse gli stupefacenti; ho in mente solo l'inizio: «Cocaina, tu vali più dell'oro». In politica si affermavano i socialisti, anche perché sui proletari esercitava un certo fascino la rivoluzione bolscevica; alle elezioni del 1919, il partito passava da 50 a 156 deputati, ma l'ex compagno Benito Mussolini mollava la bandiera rossa e proponeva, con successo, la camicia nera.

Li hanno poi chiamati «gli anni folli». Lenin faceva scappare a Parigi molti russi importanti: dal cugino dello zar Nicola II, il Granduca Dmitrij Pavlovič, a Djagilev, il mago dei balletti, al principe Jusupov, l'assassino di Rasputin. Alcuni, raccontavano, si arrangiavano guidando i taxi.

Erano di moda le orchestrine tzigane, ma si imponevano i ritmi americani: fox-trot e rag-time. E se ne vanno lo Zar, il Kaiser, l'imperatore d'Austria-Ungheria, mentre tra i reduci del conflitto c'è un certo Adolf Hitler, che ha trentun anni e ha combattuto con coraggio, un vagabondo che la notte cerca rifugio negli asili notturni di Vienna e che comincia a predicare «la menzogna della disfatta» e raduna in una birreria sette estimatori: diventeranno settanta milioni.

Benito Mussolini ha trentasette anni: il 23 marzo 1919 ha fondato i fasci. Alle prime elezioni, batosta, e l'*Avanti!* commenta: «Ma non è che un cadavere politico». Nel suo programma: nazionalismo, tasse pesanti sul capitale, soppressione della Borsa, confisca dei beni della Chiesa, accesso degli operai alla direzione delle fabbriche. Tutte balle.

Ho cinque anni quando mio padre viene assunto, come vice-magazziniere, allo zuccherificio di Bologna. Restò vice per sempre: e fu la sua silenziosa sconfitta.

Mio padre aveva anche il compito di contare i sacchi. Una volta su un vagone ne scappò uno in più: dovette rimborsare l'importo, mi pare 400 lire. Quasi la paga di un mese. Poi venne sospeso per alcuni giorni: se veniva qualcuno a trovarci, per la vergogna, andava a nascondersi sotto il letto.

Non avevamo la radio vera, era un lusso che non potevamo permetterci, io mi ero comperato quella a galena, con la cuffia, mentre l'antenna veniva applicata alla rete del letto: c'era l'inconveniente che, a ogni movimento, la voce spariva.

C'era, poi, un altro fastidio, per chissà quale mistero dell'etere spesso captava Radio Salamanca, *Plaza dello Suanto* (mi sembra) *número ocho,* e una volta sentii che diceva, e ne fui scandalizzato, che «la enfermedad del Papa es la sifílides», o qualcosa del genere.

L'EIAR (Ente italiano audizioni radiofoniche) trasmetteva i grandi concerti della Martini-Rossi con gli annunci anche in francese: «Avec la partecipation du teneur Beniamino Gigli, chef d'orchestre Dick Marzotto», poi suonavano Angelini, Zeme e Barzizza: «C'è una chiesetta, amor, / nascosta in mezzo ai fior. / Dove mi hai dato un bacio a primavera: / ricordi quella sera, amor?».

La pubblicità esaltava il Ferro-China Bisleri, il Fernet Branca e la pastina glutinata Buitoni, e la *réclame* faceva sapere che «Le loro AA.RR. Jolanda, Mafalda e Umberto la gustavano a mensa».

Mia madre i liquori li faceva con gli estratti: falso Strega, falso Cognac, se comperava le pastiglie in drogheria erano «uso Valda», anche la bistecca risultava, più che altro, una convenzione: così sottile che il bue o il vitello, se gliela avessero tagliata da vivi, non se ne sarebbero neppure accorti.

La vita dal mondo la seguivamo soprattutto attraverso le «tavole» di Achille Beltrame sulla *Domenica del Corriere*: cominciò nel 1899 e ne dipinse 4000. Esordì con la guerra russo-giapponese, e poi tante lavandaie salvate da un passante, e pastorelli rapiti dalle aquile, e tori infuriati, e boa che in esotiche località si infilavano sotto i letti.

Ero un assiduo spettatore delle recite pomeridiane del Teatro Duse o del Corso: ho memoria di Ermete Zacconi, il mattatore, che anche verso gli ottanta recitava *Gli spettri* di Ibsen e ripeteva, imperterrito, la battuta finale: «Mamma, dammi il sole».

Conobbi la cameriera di Maria Melato, altra diva della scena, e mi raccontò che la signora si angosciò quando Gabriele D'Annunzio la invitò al Vittoriale: «Scelgo l'uomo o il poeta?» si chiedeva. Rispose.

Assai di moda un altro delicato lirico, Berto Barbarani, che andava anche in giro a declamare i suoi versi dedicati a Nineta: «Col risso in fronte / la man sul fianco / corpeto bianco / la passa el ponte».

Mi faceva un po' ridere l'idea che il nipote di Giosue Carducci, «il fiero maremmano», l'autore dei «cipressi che a Bolgheri», si esibisse in palcoscenici del varietà cantando: «Luna marinara, l'amore è dolce se non si impara, se si dice ma». Quel «se si dice ma», più che una licenza polemica, mi pareva un arbitrio logico.

Sono diventato giornalista professionista il 30 giugno 1942: risultavo anche, come esige la legge, appena maggiorenne. Devo molto a tre colleghi che non ci sono più: Mario Bonetti, che pubblicò i miei primi articoli sul *Carlino Sera*, la storia del tenore Gubellini, un mancato nuovo Caruso per colpa di una infelice avventura su un treno che lo portava a San Pietroburgo: fascino slavo (portatore, però, di una malattia venerea); a Giovanni Telesio e a Giuseppe Longo, i miei primi direttori che ebbero fiducia in un giovanottino figlio di una camiciaia a cottimo e di un operaio che soffrì perché non ebbe mai un «avanzamento»: sempre vice, sempre sostituto.

Dei gerarchi ho conosciuto, si fa per dire: visto a distanza, Dino Grandi, che era anche il mio editore. Telefonò al giornale il resoconto della ultima seduta del Gran Consiglio, forse con qualche tono epico in più: disse che aveva portato una bomba a mano, pronto a tutto. Al *Carlino* era entrato da giovane come cronista, nel 1940 da padrone. Romagnolo, come Mussolini, capitano degli alpini, laureato in legge.

In gioventù, si sentiva attirato dal socialismo ma

confidò a un vecchio compagno di ginnasio: «Bisogna saper vedere da che parte si delinea il successo».

Conosce Benito nel 1914, a un congresso socialista, e ne rimane impressionato: «O è un genio o un pazzo». Lo segue e fa carriera; diventerà anche ministro degli Esteri e la stampa inglese lo battezza «il gerarca in cilindro». Il re lo crea conte di Mordano. Ed è lui che prepara l'ordine del giorno che il 25 luglio 1943 segnerà la fine del fascismo. Gli Alleati sono già in Sicilia. Grandi si rifugia in Portogallo, poi in Brasile.

Leandro Arpinati, uno dei fondatori della Decima Legio, lo vidi ai funerali di un autorevole camerata, quando era già confinato in una tenuta dal nome infausto: Malacappa.

Mario Missiroli lo ha descritto come ossessionato da «un individualismo portato agli estremi» e da un rigore morale che lo spingeva a difendere anche gli avversari, come Giuseppe Massarenti, il mitico predicatore laico di Molinella, che voleva la redenzione dei braccianti, e morì da povero in una corsia di ospedale, o i parenti di Anteo Zamboni, un ragazzo bolognese che sparò due rivoltellate contro il duce e finì linciato su un marciapiede. Era generoso e scoprì il fallimento dei suoi ideali. Confidò a Missiroli, quando era sottosegretario all'Interno: «Potrei restare a questo posto per sempre. Basterebbe che mi accodassi al gregge degli adulatori. Ma mi ripugna. Gli sbagli si devono pagare. Io voglio andare al confino».

Starace lo denunciò al duce e lui gli scrisse due righe: «Se avessi avuto bisogno di un elemento per giudicare la bassezza umana tu me lo avresti offerto. Sei un mentitore e un vile».

Venne il 25 luglio: non lo soddisfò la nomina di Badoglio, che non stimava. Mussolini, liberato dal Gran Sasso, lo convocò alla Rocca delle Caminate e gli chiese di collaborare. «Mi dispiace,» fu la risposta «ma ormai io sono solo un agricoltore.»

Ero un piccolo praticante giornalista e ascoltavo i discorsi e i ricordi di vecchi colleghi. Raccontavano di quando Marinelli, segretario amministrativo del partito, che era proprietario del *Carlino*, venne in visita al giornale e il direttore ebbe una infelice espressione: «Guardatelo negli occhi, il nostro capo»; Marinelli era strabico, e quando venne condannato a morte, come traditore del fascio, mentre lo portavano al poligono di Verona, piangeva e invocava la moglie.

Arpinati fu ucciso un giorno di primavera del 1945 da alcuni misteriosi individui, tra cui anche tre donne inferocite che scesero coperte di polvere da un furgoncino. Chiesero: «Chi è Arpinati?» e cominciarono a sparare. Colpirono anche l'avvocato Torquato Nanni, un mite socialista di Forlì, che aveva atteso per vent'anni l'alba della liberazione.

Di Arpinati si ricorda anche un giudizio: «L'Italia non è un feudo della famiglia Mussolini».

Galeazzo Ciano scrive nel diario il suo pensiero su quello che in famiglia chiamava Gim (sta per «Jim») e le amiche delle sorelle «Gim dagli occhi verdi»: «Quell'uomo ha più fegato che cervello».

Ha il petto coperto di decorazioni: una medaglia d'oro, dieci d'argento, poi il più alto riconoscimento spagnolo, una croce tedesca di prima classe. «È degno di un guerriero dell'Alto Medioevo» diceva di lui Galeazzo. E aveva, riferiscono, una paura matta del dentista.

Le sue vocazioni più profonde la guerra, le burle e le conquiste femminili. «Mi piacerebbe andare in Finlandia» disse una volta «perché ho sempre combattuto al caldo.»

Lo incontrai nel camerino di Odoardo Spadaro, il nostro Maurice Chevalier dei Lungarno, al Teatro Medica di Bologna. La soubrette era una splendida ragazza cecoslovacca, Dana Harlova, bruna, grandi occhi neri, molto belli, splendide gambe. Il fotografo Comaschi scattò qualche istantanea della ballerina impegnata ad abbracciare quel comandante degli aerosiluranti che era stato anche segretario del PNF, il partito delle camicie nere.

Muti sorrise ma avvertì che se una sola di quelle immagini fosse andata in giro, avrebbe rotto la Leica sulla testa dell'operatore. La signorina cantava, con accenti sbagliati, un motivetto allora di moda: «Come è delizioso andar sulla carrozzella».

È morta in Brasile, dove si faceva chiamare contessa Dana De Teffè. Pare lavorasse per l'Intelligence Service e raccontavano che, durante la guerra, era un agente dell'ammiraglio Wilhelm Canaris, il capo dell'Abwehr, il servizio segreto militare tedesco.

Alloggiava nel villino di Fregene, la notte del 23 agosto 1943, quando un ufficiale dei carabinieri bussò per portar via il suo sfortunato amico. Poi ci furono un diplomatico, un medico, un ricco corridore in automobile, un avvocato, e sulla conclusione di questa vita spregiudicata c'è, e sembra quasi ovvio, il buio del mistero.

Ricordo quando Hitler e Mussolini diventarono amici, e quando il duce mandò le divisioni armate al Brennero perché il Führer, come dicono a Roma, si desse una riguardata.

Ci fu un momento in cui le camicie brune non erano popolari e il settimanale satirico *Marc'Aurelio* sfotteva «li belli nazi», e si diceva: «In Germania ognuno deve portare la sua croce». Naturalmente uncinata.

I nazisti uccisero a Vienna il cancelliere Dollfuss e Mussolini ospitò la vedova e gli orfani a Riccione.

Poi l'aria cambiò, e fu l'Asse. Il Dopolavoro organizzava viaggi a buon mercato a Monaco, specialmente per il carnevale, e ai primi vennero invitati anche i giornalisti. Tra i partecipanti il mio amico Nino Corazza che, stanco delle bevute di birra e dei brindisi, all'ennesimo augurio invece di dire «Prosit», rispose «Socmel», caratteristico e scurrile invito bolognese.

«Was ist socmel?» gli chiese la bionda signora che gli sedeva accanto: che cos'è? Con il suo stentato tedesco le spiegò che era un modo di formulare un augurio, è «Dire Danke»; da quel momento, a ogni calice lei lo guardava con teneri occhi e sospirava: «Socmel» con teutonica fermezza.

Confesso che la Germania ha esercitato, fin dai miei giovanili (e trascurati) studi della lingua, una certa attrazione: ricordo i circhi tedeschi della mia infanzia, lo Schneider che fallì a Napoli, e vendevano i leoncini a 50 lire, e il Busch; mi piaceva Heine per i resoconti di viaggio e perché era rispettoso: in punto di morte, al sacerdote che lo esortava: «Chiedi perdono al Signore», mormorò: «Ma perdonare è il suo mestiere».

E poi le Fraülein che venivano sulle nostre spiagge, e i romanzi di Ernst Wiechert: *La vita semplice*, o di Döblin: *Berlin Alexanderplatz*.

Andai anche a conoscere Katja Mann e la signora Wiechert: sono una sorta di specialista in vedove e in visite alle case degli scrittori. Ho visto quelle di Čechov a Ialta e di Tolstoj, a Mosca e a Jasnaja Poljana, quella di Hemingway a Cuba, quella dell'autore dei *Buddenbrook* a Zurigo, quella di Brecht a Berlino, con finestre che davano su un cimitero, l'alberghetto a New York dove alloggiava l'autore dell'*Antologia di Spoon River*, tante lapidi pietose per tante vite, e il romanziere James T. Farrell mi raccontò che Lee Master era un uomo piuttosto cattivo. Mi viene in mente una delle sue epigrafi: «E se la gente sa che sai suonare, / suonare ti tocca, per tutta la vita».

Nel 1965 feci per la *Stampa* un viaggio in Germania alla ricerca dei superstiti del nazismo. Mi aiutò a realizzarlo Massimo Sani, che era là come corrispondente della Mondadori. Comprai un disco con i discorsi del Führer e le marce dei nazisti; un inno aveva un verso che era un programma: «Oggi possediamo la Germania, domani il mondo».

Nel mio lavoro ho avuto qualche inconveniente di percorso: niente di drammatico, si intende, perché se il direttore di un giornale non è disposto a ricominciare, a mettersi in fila alla biglietteria di una stazione e a dire: «Porretta Terme, seconda» perché là è accaduto qualcosa, allora vuol dire che nella sua testa c'è qualcosa di sbagliato.

Ricordo quando a Seveso dilagò l'inquinamento: era un fatto periferico e molti inviati non lo ritenevano alla loro altezza, come se il chilometraggio fosse un segno di distinzione.

Nel 1961 venni licenziato da *Epoca* per una precisa richiesta dell'onorevole Tambroni. Era ministro dell'Interno. A Reggio Emilia, la polizia aveva sparato sugli operai delle officine. Ci furono alcuni caduti. Scrissi un articolo (vedere eventualmente la collezione del settimanale), nel titolo: «Sei poveri inutili morti». Chiese, con un ricatto, come mi fu raccontato poi, il mio licenziamento: lo ottenne. Arnoldo Mondadori mentre mi congedava era commosso, e mi offrì una vantaggiosa collaborazione. L'avrei accettata se mia moglie non mi avesse detto: «Daresti prova di non avere nessuna dignità». Aveva ragione. Ho compiuto quarant'anni a Stoccolma. Mi pesava, con il freddo, la solitudine, anche il distacco da un giornale nel quale avevo passato otto anni della mia vita, prima da redattore capo, poi da direttore. Lo lasciai a 380.000 copie. Sparito: come l'*Europeo, La Domenica del Corriere, Settimo giorno*; era arrivata la televisione.

Giulio De Benedetti, mitico direttore de *La Stampa*, alla quale collaboravo, quando gli telefonai per dirgli che mi avevano buttato fuori, commentò: «Che buona notizia. Dal primo agosto sei un nostro inviato: dove vuoi andare?». Dissi Spagna: dimenticando che c'era Franco e una fabbrica della FIAT. Ripiegai sulla Scandinavia: sul sicuro. Donne, sole di mezzanotte, Ingrid Bergman, Greta Garbo e Ibsen; potevo arrangiarmi.

Basta nulla per evocare un tempo o un paese: l'etichetta dell'Emulsione Scott, con il pescatore con l'incerata, il cappellaccio a larga tesa – il Nordovest –, sulle spalle il merluzzo appena pescato, simbolo di certi disgustosi riti terapeutici dell'infanzia, le avventure dei capitani coraggiosi, che andavano a cacciare la balena in mari sconvolti dal maelström, il turbine d'acqua che fa scricchiolare la barca e gemere le vele; il volto enigmatico della signorina Greta Gustafsson, «la sfinge svedese». Era anche avara: per non cambiare le cifre ricamate sulla biancheria, scelse come nome d'arte Greta Garbo. G.G.

E poi l'idea sconvolgente e inesatta che laggiù, con l'arrivo della primavera, riparate dalle betulle, o protette da scogliere grigie, fanciulle libere e meravigliose, senza pregiudizi e senza niente addosso, e con il desiderio di essere capite e amate, fossero in attesa dello sbarco degli ardenti e inibiti giovanotti del Sud per dimostrargli che il sesso non è peccato, e poi la voglia di controllare la realizzazione delle prediche, tante volte ascoltate, sul migliore dei socialismi possibili, realizzato dai più aperti dei capitalisti esistenti. Si mescolano talvolta nella mente il richiamo del nudismo e quello della giustizia sociale.

E nei fotogrammi del lungo racconto entrano i sovrani democratici, che sposano signorine borghesi, vanno in giro senza scorta e in bicicletta (e vidi Federico IX di Danimarca), si fanno tatuare, come i marinai, sirene sul petto, e salgono sul podio per dirigere l'orchestra.

Poi i personaggi leggendari di Ibsen o gli inesorabili e crudeli giudici dei film di Dreyer, o quei pastori luterani dagli occhi freddi e severi, che nei presbiteri solitari di Bergman affrontano le passioni umane.

E quel geniale Alfred Nobel che arricchisce con la dinamite e, per farsi perdonare alcune conseguenze dell'invenzione, fonda un premio inteso a incoraggiare le arti e le scienze. Ma non sempre tutto è bene, ed ecco Vidkun Quisling, capo dei fascisti norvegesi, il cui nome nel 1940, diventa simbolo di traditore. In una enciclopedia si legge: «Giuda della seconda guerra mondiale».

Conobbi Maria, la vedova. Era nata a Cracovia, in una aristocratica famiglia russa. Non figurava nell'elenco telefonico e non riceveva che qualche camerata che le era ancora devoto. Dicevano che lo spirito malefico del fondatore del partito nazista di Oslo fosse lei.

Bellissima, lo soggiogava psicologicamente, spingendolo al peggio per ambizione, per una folle sete di potere. Raccontano gli storici che il marito, d'accordo con il Führer, aveva preparato l'invasione del suo Paese.

Maria Quisling dava, ovviamente, la sua versione: lo considerava un generoso, vittima di una sentenza di parte. Nel soggiorno c'era un grande ritratto del consorte regalatole da Hitler con davanti un vaso di fiori.

Diceva che Vidkun era rimasto sconvolto dalla Rivoluzione sovietica e che negli anni della carestia aveva salvato milioni di russi dalla fame, ed era rimasto addolorato quando le SS avevano imbarcato gli ebrei per mandarli ai campi: non era d'accordo ma non poteva far nulla. Parlava molte lingue ed era un bravo matematico. Prima di affrontare il plotone di esecuzione le scrisse molte lettere; le conservava in una valigia. Non usciva che raramente, ma nessuno le mancava di rispetto. Anche il disprezzo del popolo era diventato indifferenza.

Poi c'è la fama che si offusca nell'ora del tramonto: Knut Hamsun. È stato per molti della mia generazione una delle letture che sono contate: con Jack London, magari, e con Gor'kij. I suoi libri: *Fame*, *Victoria*, *Pan*, lasciavano un segno. «Egli» ha detto Henry Miller «sapeva creare musica dall'infelicità.»

Piaceva il suo nichilismo, i suoi personaggi erano i *beats*, i maledetti, i *bohèmiens*, gli sconfitti del primo Novecento, che quando abbordavano una donna dicevano: «Dio mi castighi se ho mai visto una ragazza così bella», e impazzivano quando riuscivano ad accarezzare il seno di una sartina o si sfogavano «con le mogli dei marinai, quelle grasse pollastre da mercato che si stendevano sotto il primo portone per un boccale di birra».

Figlio di contadini, da piccolo conduceva le bestie al pascolo e passava le ore a osservare le aquile, i cigni selvatici, gli ermellini e compose una poesia su una renna malata.

Fece tutti i mestieri: minatore, maestro di scuola, carpentiere, conduttore di tram a cavallo a Chicago. Poi cominciò a portare qualche articolo ai giornali, qualche racconto, ma senza successo. Poche corone e molti digiuni. Il suo protagonista gli assomigliava: un vagabondo spensierato e tragico che vuole bruciare tutto in fretta: non teme la vecchiaia, la disprezza. Hamsun vivrà novantasette anni.

Era un carattere scontroso e a suo modo puritano. Quando vinse il Nobel andò a Stoccolma con la moglie; Maria era incantevole, portava un vestito lungo, aderente, molto scollato. Hamsun le chiese preoccupato: «Che cosa dirà la gente?». E lei: «L'ho fatto per te», ma Knut insisté perché si coprisse con uno scialle.

La sua mentalità, le sue simpatie erano per i tedeschi: forse in quel sentimento giocava anche il fatto che erano stati loro a imporlo all'attenzione universale: anche nel 1915 stava dalla loro parte.

Hamsun scriveva: «La democrazia non alza i piccoli all'altezza dei grandi, ma i grandi abbassa fino ai ciabattini».

Andai a Nörholm, nel Sud, dove ha vissuto ed è morto. Vi abitava Arild, uno dei suoi figli, che lavorava nei boschi e faceva pagare un biglietto d'ingresso.

Hanno conservato tutto quello che aveva potuto salvare perché era stato multato dei suoi averi. Aveva respinto il difensore e rifiutato di chiedere clemenza: «Giovani giudici, volete punire il vostro vecchio poeta nazionale?».

Non lo avevano ascoltato. L'hanno cremato e la sua tomba è nell'orto, sotto un albero dai fiori gialli.

A Oslo facevo colazione al Gran Café, in centro. Fra i clienti illustri c'era stato Ibsen. «Nessuno» ha scritto «vuole essere un'isola.» Edvard Munch, da un tavolino d'angolo, gli fece il ritratto con il lapis: il vecchio Henrik ha l'occhio teso, il testone fiero, «una montagna coronata da cipressi carichi di neve». Di fronte al Teatro Nazionale c'è il ritrovo degli artisti e di qualche bella signora: ci capitava anche Grieg.

A Inari alloggiavo in una locanda. Vendevano pelli, mocassini, francobolli per spedire i saluti da un posto che è ancora più in là del Circolo polare artico.

Mi piaceva andare nei boschi o sulla riva del lago. Le betulle avevano i colori dell'autunno – giallo e rosso – cercavo con una guida i fiori dell'ultimo

Nord: questo con i petali rosa fragola è il *Rhododendrum lapponicum,* questo è il *Ranunculus glacialis,* questa c'è anche da noi: è l'arnica alpina. Il silenzio metteva dentro un certo tremore. Ti sentivi più solo, in un tempo immutabile; il cielo cambiava di continuo, ma la luce del giorno resisteva.

Fu una bottiglia di «Polar», una acquavite che fanno con le bacche, a facilitare i miei rapporti con un personaggio esuberante. Portava una maglietta con la scritta «Pilot Center», aveva le braccia costellate di tatuaggi, si faceva le sigarette arrotolando tabacco e cartina con due dita, come Jean Gabin vecchia maniera, esibiva quell'aria da maledetto che piace alle donne e portava il suo Chessna su un blocco di ghiaccio e sulla riva di un fosso senza paura. Io, affettuosamente, lo chiamavo Lindbergh.

Così il trasvolatore solitario raccontava le storie di quelle parti, e mi disse di un tedesco che era tornato dopo la guerra sulle sponde dell'Ivalo o sul Lemmenjoki, silenzioso e disperato, a cercare l'oro; usava una specie di setaccio, la sabbia scivolava via, ogni tanto qualcosa di brillante restava sul fondo.

Aveva una lunga barba grigia, non attaccava discorso, si era fatta una capanna di tronchi e non se ne andava neppure durante l'inverno: cacciava i cormorani, i galli selvatici, le pernici, pescava i coregoni, bastava a se stesso. Una mattina scomparve: forse era diventato ricco.

«Lindbergh» mi fece conoscere Aslak, un lappone di quelli che hanno lasciato le montagne, un ragazzone che si adeguava al mondo.

Aslak mi concesse la sua benevolenza, incoraggiato anche da stufato di alce con salsa di mirtilli, trota affumicata e cetrioli, torta di lamponi e da rispettosi silenzi riempiti da qualche brindisi e da infinite tazze di un lungo caffè.

Io non gli chiesi mai, come mi avevano raccomandato, quante renne possedeva; lui non volle sapere a quanto ammontava il mio conto in banca. Tutti e due delicatissimi.

Aslak mi disse che sua madre si chiamava Inga, suo padre Isak, ma era morto a un pascolo e l'avevano avvolto, per portarlo a valle, in una corteccia d'albero e caricato su una slitta.

Facevano così una volta con i defunti, e le renne del traino portavano sulle corna un fiocco bianco, e tutti le lasciavano passare, guai a fermarle, e trasportavano gli estinti su un'isoletta.

«Da noi» mi raccontò Aslak «non esiste il divorzio: solo adesso qualcuno comincia. L'uguaglianza dei sessi c'è sempre stata e far l'amore non ha mai rappresentato un problema. Non sappiamo cos'è la gelosia o la vendetta; il *puukko*, il coltello, si usa solo per intagliare gli ossi di balena o per scuoiare gli animali. La nostra morale è indulgente; l'adultera non è mai stata lapidata. Quando viene pronunciato il consenso, lei va a preparare il letto: dormiranno assieme. Il rito si celebrerà magari dopo mesi. Nella tenda, sui rametti di pino e di abete, si dorme tutti in compagnia, ma i maschi da un lato, le femmine dall'altro. C'è sempre modo per ritrovarsi. Esiste una divisione dei compiti: lui caccia e cucina la carne appena macellata, lei cura le pelli e confeziona gli abiti, insieme pescano e custodiscono gli armenti. Lei è indipendente e stimata: dice la sua opinione sulle scelte fondamentali. Partorisce senza aiuto, alleva il bambino e quando è il momento di svezzarlo mette del carbone sul seno. Nessuno sgrida i piccoli, nessuno li picchia. Imparano presto a manovrare il laccio, a costruire una imbarcazione, ad addestrare i cani. Qui finisce un continente e ne comincia un altro: il mondo artico. Una persona ogni chilometro quadrato. Il villaggio è la nostra piccola patria.

«Le nostre bluse, i nostri calzoni non hanno tasche perché la moneta conta poco; il cappello ha quattro punte, come i venti. Tutte le strade ti sono aperte, ma ovunque tu vada devi farcela da solo: questa è la legge del Nord.»

Conoscevano poche regole; una diceva: «Chi sfida le forze del creato perde la vita».

Il demonio arrivò con la polvere da sparo, le belle stoffe colorate, i marchi, i rubli o le corone d'argento.

E una mattina Aslak volle darmi una prova della sua benevolenza. «Se vuoi,» disse «andiamo a Heikkila a trovare mia madre. Sta sola nella capanna. Ci vorrà una giornata.»

Cercammo un vecchio finlandese di nome Jaako, nessuno conosceva il fiume meglio di lui. Il Fasku è largo e disteso, scivola tra il verde, ma c'è l'insidia delle secche e dei massi che la corrente sfiora.

Jaako tirò fuori la barca da un canneto, mise una bottiglia di acquavite e una tanica di carburante sotto un'incerata perché minacciava la pioggia; la pipa tra i denti, si piazzò al timone. Non sentii mai la sua voce.

Era bello andare così (anche se ogni tanto ci venivano incontro miriadi di zanzare, «mosquitos» diceva Aslak) osservando i guizzi dei salmoni, i voli radenti di sconosciuti uccelli dal piumaggio bianco e nero, forse i gabbiani del fiume, il muso sospettoso di un alce dietro una macchia di larici. «Gli orsi» diceva Aslak senza malizia «vengono dalla Russia.»

Ascoltavo il rumore un po' cupo e ritmato del motore, e l'aria odorava di umido e di terra, di muffe e di erbe lacustri. Per ore e ore nessuna presenza, qualche frullo d'ali, forse un cormorano, o un tasso o una martora curiosa su un ramo; il vento faceva rossa la pelle e spostava grandi nuvole nere.

Io pensavo agli eroi di Jack London che venivano qui a sfidare se stessi e il Fato, e a quanto poco basta per vivere e ai piccoli lapponi che non hanno il senso dell'autorità né quello della ricchezza.

Quando attraccammo due cani ci vennero incontro abbaiando: riconobbero Aslak e gli fecero festa. «Mia madre» disse «lavora le pelli, ha il suo branco e non vuole venire via, e non è contenta delle nostre scelte.»

Toccò la spalla del figlio, lui sorrise. Non ci furono abbracci. Jaako le passò la bottiglia e la vecchia buttò giù un sorso. Poi ci fece entrare e mise sul tavolo fettine di carne affumicata, pomodori e pane nero, e cominciò a far bollire la cuccuma. Madre e figlio parlavano fra loro, ma senza emozione.

«Vuole sapere da dove vieni» disse Aslak.

«Dall'Italia» risposi.

«È proprio vero che c'è sempre il sole?» chiese la vecchia.

«Quasi.»

Nello stanzone tutti gli arnesi erano di abete e da un palo pendevano tante code di volpi rosse. «Mamma sa dove mettere le trappole» disse Aslak.

Cominciò a piovere a dirotto, si sentiva lo scroscio sulle foglie, sui rami, sul tetto, e l'acqua tirava fuori il sapore verde del legno. Chiesi ad Aslak se la vecchia non aveva paura a stare sola. Inga mi fissò con gli occhi socchiusi e raccontò che aveva fatto un sogno; le era apparso Isak, il suo uomo, che le diceva: «Quando una notte vedrai le rane con il fiocco bianco, quella volta scenderanno dagli alti pascoli per te».

Si sentivano fuori i campani delle bestie che il temporale e l'ululato rabbioso dei cani spingevano verso l'ovile. Poi aggiunse: «Anche il troppo ragionare vuol dire paura».

Disse Aslak: «Mamma non vuole la casa di mattoni, non vuole chiavi; dice che non c'è nessuna porta per chiudere fuori il futuro».

Chiacchierarono ancora un po' tra loro, poi il finlandese, alzandosi in piedi, fece capire che bisognava ripartire. Lei rimase sulla riva a guardarci; solo Aslak alzò per un momento la mano. Poi la bruma coprì tutto, era difficile vedere anche le sponde del placido Fasku. Disse Aslak: «Lo sai che la renna, anche quando è ferita a morte, non grida? Non grida mai».

Continuo a viaggiare nei ricordi e un po' di tristezza, confesso, qualche volta mi prende. Quanti luoghi ho visto, quante persone ho incontrato; meglio guardare avanti, come nel finale di *Via col vento*: «Domani è un altro giorno».

Dice un poeta tedesco: «Con la morte si spengono le fiamme dell'odio». Volevo conoscere qualche superstite del diluvio. Andavo a cercare delle storie e degli uomini: volevo trovare, soprattutto, l'uomo tedesco, vedere cosa era rimasto del suo orgoglio, quale segno si avvertiva ancora della sua sconfitta. Scoprii una grande solitudine.

Ne nacque il mio primo libro: *Crepuscolo degli dei*. L'ho scritto in una stanza dell'Hotel am Zoo, durante una delle tante crisi di Berlino. E poi in una locanda del Mare del Nord, si chiamava Zur Oase – All'Oase, la padrona era una grassona simpatica, Frau Margot, che aveva una figlia bionda, Astrid, e parlava con struggente nostalgia della *Gasthaus* che possedeva una volta nella sua terra di Prussia, accanto al castello di un principe: ospitava i cacciatori che inseguivano i caprioli o andavano nella valle ad aspettare il passo del gallo cedrone. Frau Margot piangeva su una perduta osteria e una perduta felicità.

L'ho scritto, era carnevale, in una libreria di Monaco, tra austeri funzionari travestiti da diavoli, banchieri in parrucca con il naso finto. Che allegria... bisogna pure dimenticare.

Non era facile combinare gli incontri. La signora Ribbentrop mi scrisse che le dispiaceva, ma in quel periodo non si trovava a casa.

Suonai per due volte il campanello della signora Emmy Göring; la governante non aprì la porta e da una finestrella mi fece sapere che la padrona, e magari non aveva tutti i torti, diffidava dei giornalisti.

La signorina Gudrun Himmler (la madre faceva la sarta, lei era impiegata) dopo una serie di garbati colloqui telefonici mi disse lealmente che quello che pensava non me lo voleva dire.

Il pilota personale del Führer era in Austria, impegnato in un patetico incontro con vecchi camerati, e poi si sapeva che per lui il Führer era un cliente come un altro, e del resto lui temeva le interviste più del ghiaccio sulle ali.

C'era una signora, Mimi Reiter, che si presentava come «unico amore» di Hitler, trascurando evidentemente Eva Braun, e rievocava quando Adolf allungava una gamba sotto il tavolo per incontrare un suo piedino. Forse Hitler era un timido.

Ma Emil Ludwig lo descriveva come «un nevrotico trepidante, vegetariano ed eterno celibe», mentre Thomas Mann sintetizzava: «Questo individuo è una catastrofe».

Ma, scrive William L. Shirer ne *Gli anni dell'incubo*, «in una dittatura non è necessario essere amati dal popolo. Basta essere temuti, come lo era Stalin nella Russia sovietica. Ma che Hitler fosse amato dalle masse tedesche – per quanto la cosa apparisse sconcertante a me e al mondo esterno – non potevano esserci dubbi. E subito dopo c'era Göring».

Ma non c'è ragione di stupirsi. Non è inutile ricordare che fu il solo tra tutti i dittatori che conquistò il potere attraverso elezioni regolari. Vi sembrerà strano, ma piaceva. Barattò la libertà con la sistemazione dei disoccupati, offrì ai suoi compatrioti, come scrisse Ludwig, «il loro bene più caro: il servizio militare obbligatorio» e li esonerò dal pensare.

Mi disse Hans Zehrer, un grande giornalista che nel 1933, perché avversario del Führer, si era «ritirato in una tana», seguendo il consiglio di Chally Knickerbocker, un famoso collega americano, nell'isola di Sylt, che il nazionalsocialismo era morto nell'aprile del 1945: «Tra le fiamme della Cancelleria con il cadavere di Hitler se ne sono andate anche quelle idee, quei sentimenti». Ogni tanto, però, c'è qualche nostalgico che si fa vivo.

Andai a vedere la piccola birreria dove l'avventura era cominciata: il signor Adolf Hitler diede appuntamento ad alcuni amici che volevano, come lui, cambiare la faccia della Germania e anche quella del mondo. Sette, al primo incontro, poi diventarono settanta milioni. Era un negozio di mobili «moderni», di un gusto assai dozzinale. «È cominciato qui,» pensavo «in un'aria che sapeva di würstel e di crauti, qui è sbocciato il fiore dell'uomo eletto.»

Un bravo cronista, Jürgen Neven, fece una inchiesta tra gli studenti. Domanda: ma chi era, ragazzi, questo Adolf Hitler? Che ne pensate? Soltanto due, su novantacinque intervistati, erano stati in grado di dare una risposta esatta. Piccolo campionario: «Aveva i baffetti... Tutto sotto di lui andava meglio, non c'erano, come oggi, tanti delitti a sfondo sessuale. Quando passava per le strade bisognava alzare il braccio e gridare: "Heil Hitler!" altrimenti si era puniti. Ha fatto molto per i lavoratori, per le madri e per i bambini, e voleva essere amato».

Del grandammiraglio Karl Dönitz ricordavo la voce: «Uomini tedeschi, donne tedesche, soldati tedeschi, il nostro Führer è caduto». Annunciava la fine della guerra. Abitava in una villetta di campagna, nelle vicinanze di Amburgo; sulla porta una targhetta con il suo nome. Per terra la bottiglia del latte. Era una fredda giornata invernale e stormi di gru volavano nel cielo opaco.

Venne ad aprirmi la moglie, la signora Inge. «L'ammiraglio» disse «non riceve nessuno. E tanto meno i giornalisti. Non ha nulla da dire.» Insistei: «Cinque minuti soltanto; vengo dall'Italia».

Le lenti scure proteggevano i suoi occhi malati; era un signore severo, ma compito e poco propenso alle chiacchiere. «Ogni parola è superflua» disse quando lo arrestarono. Churchill confessava: «È l'unico che mi fa paura».

Era stato un gran marinaio e l'ultimo Führer della Germania, l'inventore di fortunate strategie. Una la chiamavano dei «branchi di lupi»: i suoi sommergibili aspettavano al varco i convogli alleati nelle acque norvegesi o dalle parti di Gibilterra, nei punti di passaggio obbligato.

È a lui che Hitler affidò il peso della sconfitta: per dieci anni fu detenuto nel carcere di Spandau, mentre la signora Inge faceva l'infermiera nell'ambulatorio di un medico, ad Amburgo. Ogni tre mesi poteva andarlo a trovare.

Ricordo una statuetta che rappresentava due giovani nudi che si tenevano per mano: i due figli di Dönitz caduti in mare nel 1944. Hanno scritto di lui: «Ha visto il mondo solo attraverso un periscopio», e confessava che quando usciva da un colloquio con Hitler si sentiva «come un piccolo salame».

Poi gli mostrarono le fotografie di Buchenwald, i forni di Dachau: si chiese: «Come possono essere accadute queste cose?».

Lo conobbi che aveva settant'anni, ma l'aspetto era ancora vigoroso. Aveva cercato rifugio nello Schleswig-Holstein, in una casa che apparteneva alle terre del principe Bismarck. Attorno, grandi foreste di abeti e di faggi, e lo rallegrava osservare i leggeri salti dei caprioli. Quando andava ad acquistare i giornali in una stradetta di Aumühle, la gente lo salutava con rispetto. Dei 39.000 giovanotti dei suoi equipaggi solo 7000 erano tornati alle basi: gli altri sono stati sepolti nell'Atlantico, nel Mare del Nord, nel Mediterraneo.

Disse Bertolt Brecht: «Triste popolo quello che ha bisogno di eroi». Andai a Potsdam, la reggia di Federico il Grande, la patria del pangermanesimo. Conservano ancora la poltrona coperta da una seta color argento sulla quale il sovrano chiuse gli occhi per sempre. Dal parco giungeva ogni tanto il grido di un uccello notturno. In un angolo sostavano silenziosi i cortigiani e nel caminetto bruciava un ramo di quercia.

In quelle stanze è nato il militarismo prussiano, anche se gli stucchi dorati, i putti un po' idropici delle porcellane, i clavicembali che eseguirono per la prima volta alcune sonate di Bach, gli orologi a carillon che ripetono un minuetto e si fermarono per sempre quando il sovrano emise l'ultimo respiro, inducono a pensieri di pace.

Qui, il 2 agosto 1945, i capi delle delegazioni di Unione Sovietica, Stati Uniti e Gran Bretagna firmarono il trattato che sanciva la fine della guerra.

Era rimasto tutto come allora: forse il legno che copriva le pareti si è fatto più scuro, i velluti delle tende e delle sedie erano sempre di un rosso acceso, al centro della tavola rotonda dove venne deciso il destino dell'Europa c'era una bandierina sovietica, «perché» spiegava la ragazza che faceva la guida «i russi soffrirono le perdite più gravi: venti milioni di caduti».

Stalin era sorridente, gli occhi piccoli socchiusi, indossava una lunga giacca candida; accanto aveva Molotov con le lenti a *pince-nez* da notaio o da monsignore e un'aria sicura e decisa. Si ritirava ogni tanto a riposare in una stanza d'angolo e fissava quadri che riproducevano verdi e burrascosi mari nordici, con velieri che affrontavano impavidi le

56

tempeste. Diceva: «Se gli Hitler passano, i tedeschi restano».

Stalin non aveva nessun gusto per l'eleganza, indossava per anni e anni sempre la stessa divisa, lo stesso pastrano; e non era soltanto trascuratezza, forse voleva che il popolo lo riconoscesse facilmente nella stessa immagine.

L'ambasciatore americano lo descrive in modo sbrigativo: «Alto 1.60, deve pesare ottanta chili»; De Gaulle gli riconosce «una specie di fascino tenebroso»; il compagno iugoslavo Gilas, l'accompagnatore di Tito, lo trova «piccolo e mal costruito»; Erenburg lo ricordava «con il viso sforacchiato dagli anni, la fronte bassa, gli occhi vivi e acuti».

Ho conosciuto a Tbilisi Gula Džugašvili, figlia di Jakov, nipote di Stalin, e con lei visitai il paese del nonno. Era una giovane donna; laureata in francese, lavorava a Mosca all'Istituto di letterature mondiali.

Suo padre era morto in un campo di concentramento tedesco, la madre lo aveva seguito dopo qualche mese: cancro. Si chiamava Julija Isaakovna Meltzer, era ebrea, e per due anni Berija la tenne in prigione. Stalin non volle mai riceverla. Viveva con la pensione che le competeva come figlia di un ufficiale caduto e con i proventi del suo lavoro.

Entrò commossa nelle stanze dove suo nonno era venuto al mondo e mi parlò di lui con affetto e con rimpianto. La chiamava «padroncina».

«A lui» raccontava «non piaceva rivolgersi alle persone chiamandole per nome. Era buono, mi prendeva in braccio, mi accarezzava.

«Quando si toglieva il cappotto militare mi pareva più piccolo, minuto e mi sembrava molto strano, e quando se lo rimetteva, diventava quello delle fotografie e delle statue, e mi incuteva un po' di paura.

«C'era qualcosa che ci separava e non riuscivo ad avvicinarlo e a fargli capire che gli volevo bene. Una volta mi ha fissato e ha detto a zia Svetlana: "Guarda come quella lì mi osserva".

«Allora Sveta mi ha spiegato che bisognava essere più affettuose con lui, andargli incontro e baciarlo, e queste parole mi hanno rattristato e ho cominciato a piangere.

«Aveva conservato certe abitudini georgiane, offriva il vino anche ai più piccini, a me e a mio cugino Iosif.

«C'erano sul tavolo molte bottiglie e tanti piatti, e gli faceva piacere vedere gli ospiti mangiare. Lui assaggiava un po' di tutto, caviale, salmone, trota affumicata, cetrioli freschi, melanzane in salamoia, pasticci di carne, formaggi piccanti, torte e tanti tipi di frutta. Non è vero che fosse ingordo, era, magari, piuttosto goloso.»

Churchill, che anche di bevute se ne intendeva, raccontò che durante un pranzo Stalin brindò un numero esorbitante di volte; il ministro francese Bidault, che a un festino gli sedeva accanto, a metà serata fu portato via ubriaco; Gilas parla di una cena che si prolungò per sei ore; i vecchi compagni narravano di certe scampagnate sul Mar Nero con uova di fagiano cotte nella cenere e fuochi di faggio sui quali si cuoceva lo *sčiaslik*, l'agnello allo spiedo.

Del resto Stalin diceva, ed è Trockij che ne dà conferma, che non c'è nulla di meglio che «identificare l'avversario, predisporre ogni cosa, vendicarsi per bene, mangiarsi un arrosto, bere una bottiglia di Mukuzani, accendere la pipa e poi andarsene a dormire». Smise di fumare soltanto, e per ragioni di salute, pochi mesi prima di morire.

Lo Stalin dei congiunti è dolce, cedevole, un cuore semplice: va a pescare nel Kura, sa sparare soltanto ai conigli selvatici nelle macchie del Caucaso, gli piace la fiamma del caminetto, contempla i ciliegi fioriti, gioca a biliardo, ride come un fanciullo alle comiche di Charlie Chaplin, si intenerisce come una signorina ascoltando le canzoni paesane. La preferita si intitola *Gandagan* ed è una storia d'amore, uno scherzo tra un giovanotto e una ragazza.

Durante uno spettacolo al Bolšoj, Churchill lo vide turbato. Il baritono Pazumovskij cantava ballate popolari che narravano le dolorose vicende degli esiliati in Siberia; forse era preso dalla tristezza e dai ricordi perché era stato deportato nella *tajga*. Tirò fuori un gran fazzoletto e si asciugò le lacrime.

«Tutti i dittatori» disse Il'ja Erenburg «sono sentimentali.» Nel linguaggio corrente era stato definito «Guida», «Fabbro di felicità», «Padre e maestro».

Vien fuori da queste tenere testimonianze un ometto parco e dimesso, che non sopportava il mare perché non sapeva nuotare e si infastidiva al sole, che prediligeva le uniformi perché, probabilmente, si sentì umiliato quando i medici dello zar, alla visita di leva, trovarono che due dita di un piede erano unite e un braccio non funzionava a dovere; quella mania delle divise militari era anche una specie di rivincita per uno smacco giovanile.

Gula mi disse delle sue abitudini modeste; una stanza dove mangiava, leggeva, lavorava e dormiva era il suo regno, e guai ai bambini e alle cameriere se toccavano fogli e oggetti, non aveva il senso del valore materiale delle cose e non largheggiava né in parole né in gesti generosi.

Anche ai parenti concedeva il necessario, ma non tollerava il dispendio, il lusso, le stravaganze.

Aveva una severa morale familiare e non capiva come i suoi figli passassero da un amore all'altro con tanta disinvoltura.

Lui era rimasto vedovo due volte. Caterina fu colpita probabilmente dal tifo, ma la malattia rimase incerta. Nadja, suicida, fu vittima dei suoi nervi e lo lasciò ancora più arido, ancora più solo. Aveva cinquantadue anni.

Ogni giorno, sulla tomba di Nadja qualcuno deponeva due rose; i custodi dicevano che era lui che le mandava. Quando gli diedero la notizia che il figlio Jakov, prigioniero di Hitler, si era ucciso buttandosi contro i reticolati nei quali passava la corrente elettrica, si chiuse in una stanza e vi passò tutta la notte, da solo. Al mattino, si accorsero che aveva i capelli bianchi. Il suo motto era: «È onesto ciò che è utile al proletariato e allo Stato».

Nel museo di Istra mi ero fermato davanti a un grande quadro del Seicento. Rappresentava una scena curiosa. Si vedeva un truce boiardo con abiti di velluto d'oro che, circondato dai servi, esce da una ricca casa; uno straccione lo avvicina con aria allucinata e gli mostra una fetta di carne corrotta dai vermi.

Spiegava la guida: «L'uomo della tunica a brandelli sta dicendo al signore: "Siete voi che sfruttate la povera gente"; al tempo dello zar solo ai matti era concesso di dire tutto quello che volevano». Anche dopo.

Non è vero che nessuno è un grande uomo per il suo cameriere. Quando lo conobbi, lo Sturmbannführer (maggiore delle SS) Heinz Linge aveva ancora quell'aspetto di gigante che favorì la scelta e incise sul suo destino: alto 1,87, pesava 110 chili, ma il tempo e la lunga prigionia nell'Unione Sovietica avevano lasciato i segni. Perse i capelli che furono biondi, i movimenti si erano fatti impacciati, ma non si lamentava. Commerciava in case prefabbricate e gli affari gli andavano bene. Viveva in una accogliente villetta, nel frigorifero c'era birra ghiacciata e in banca un conto rassicurante. E nel cuore, si poteva immaginare, tanta nostalgia.

Rievocava la sua storia con precisione teutonica: «Cominciai nel 1934, come cameriere privato, e alla fine del 1943 divenni capo al suo servizio personale. Possiamo dire che fu un buon datore di lavoro. Fin dall'inizio fu tutto ben regolato. Mi disse: "Lei è la persona che mi sta più vicina e, anche se non ha colpa, affronterà i miei sfoghi, in modo che a sua volta possa sfogarsi con altri".

«La mattina verso le sette, o poco dopo, si disponevano i messaggi su uno sgabello, davanti alla sua stanza. Quando si svegliava li prendeva e li leggeva coricato, e così i giornali. In tempo di pace si alzava, di solito, verso le dieci, si vestiva e si radeva da solo, e poi faceva colazione nello studio. Beveva il consueto tè o un infuso di camomilla, a volte mangiava biscotti o una mela grattugiata.

«Verso l'una, o poco dopo, gli invitati si riunivano nella sala da pranzo o nel *fumoir*. Allora il Führer andava a tavola. Seguiva sempre una dieta, verdure o un piatto unico. Durante gli anni di pace i commensali erano Hess, Goebbels e personaggi del genere, con i quali si tratteneva e discuteva nel giardino d'inverno.

«C'erano altri camerati la sera, direi da sei a dieci. Dopo si chiacchierava e si guardava un film, in ogni caso i cinegiornali. Poi si passava nel salotto dove il dialogo proseguiva.

«Che errori commise? Ci sono varie opinioni, non è vero? Devo dire che molte cose le aveva viste giuste. Ma durante la guerra ha affrontato con esitazione problemi che prima aveva risolto con rapidità. Forse lo sbaglio più grave fu l'impazienza: era convinto che tutto si doveva compiere nell'arco della sua vita.

«Già dopo Stalingrado aveva capito che i giochi erano fatti, ma come tutti sperava che sarebbe accaduto qualcosa che potesse evitare il disastro. In questo il suo modello fu Federico il Grande che attese a lungo e vide capovolgersi la sorte.

«Che cosa diceva degli altri politici? Di Stalin parlava abbastanza bene, perché secondo lui aveva fatto molto e in modo giusto. Di Roosevelt e Churchill non tanto favorevolmente; Mussolini lo considerava un amico. Diceva: "Soltanto il successo giustifica le azioni di un uomo". Egli era il comandante in capo, perciò anche il responsabile.

«Gli piaceva circondarsi di belle signore, ma ha amato soltanto Eva Braun, almeno da quando io ero con lui.

«È morto a cinquantasei anni, ma pareva già un vecchio. Gli tremavano le mani, trascinava una gamba, la vista gli si indeboliva sempre di più. Accadde, come tutti sanno, il 30 aprile 1945, verso le quindici.

«Ne avevano parlato, lui ed Eva Braun, anche durante i pranzi, e si erano allenati con la pistola nel parco. Si congedò da Bormann, da Goebbels e dalla moglie del ministro; Frau Eva lo raggiunse poco dopo in camera.

«Quando entrai nella stanza – era passata, credo, mezz'ora –, li vidi abbandonati sul divano: lei aveva preso il cianuro, lui si era tirato un colpo di rivoltella nella tempia destra, non in bocca, come dicono, con una Walther P.P. 7.65 modello della polizia.

«Con l'aiuto di Bormann e dell'autista li ho avvolti in due coperte di lana e li abbiamo portati fuori, poi ho versato la benzina. Bruciarono molto lentamente».

Erano passati vent'anni dalla fine della guerra quando andai a cercare i figli dei più importanti e devoti camerati del capo delle camicie brune.

Visitai l'Aula n. 600 del tribunale di Norimberga. La finestra lasciava vedere le cime di pioppi che tremavano nel vento. Le pareti erano foderate di legno scuro; su una porta avevano rappresentato nel bronzo Adamo ed Eva, il primo peccato e il primo castigo.

Parlai con alcuni giovani uomini: con Norman Frank, figlio di Hans, ministro senza portafoglio, governatore generale della Polonia; con Robert von Schirach, figlio di Baldur, capo della Hitlerjugend; con Gudrun Himmler, figlia di Heinrich, capo della Gestapo, ministro dell'Interno, comandante delle SS; con Gerard Bormann, braccio destro del Führer; con Sylk Heydrich, una bella ragazza che assomigliava tanto al padre Reinhard, protettore della Boemia, generale dell'arma e della polizia SS, e incaricato della «Soluzione finale», ma ucciso nel 1942 nel centro di Praga; e infine con Wolf Rüdiger Hess, figlio unico di Rudolf, il camerata a cui Hitler accordava maggiore fiducia e che volò in Inghilterra nel 1941.

Chiesi a tutti se avevano mai visto Hitler: Wolf Rüdiger Hess era troppo piccolo. Gudrun Himmler invece spesso: «Era commovente come si interessava di me. Accompagnavo mio padre a ogni ricorrenza natalizia nelle sue visite per gli auguri. Era molto buono con i bimbi. Mi ricordo di una bambola che una volta mi regalò e che mi era particolarmente cara, e che poi nel '45 andò perduta».

Gerard Bormann: «Hitler lo vedevo tre o quattro volte all'anno. Ricordo che fummo invitati a prendere il caffè e io ebbi una tazza di cioccolata. Allora abbiamo giocato insieme con la signora Eva Braun».

Norman Frank aveva sei anni quando, in occasione dell'inaugurazione dell'Esposizione di arte tedesca a Monaco, il Führer lo prese sulle ginocchia; mi disse Frank: «Fece, insomma, quello che usano fare tutti i dittatori del mondo». Poi aggiunse: «Sono lieto che quel passato sia passato».

Nel 1962 andai all'Est: Ungheria, Polonia, Cecoslovacchia, Varsavia: ricordo un pomeriggio torbido, un pomeriggio di sabato. Mi affacciai alla finestra: Novy Swiat era deserta. Sotto una acacia il cavallo di un birraio, insonnolito, masticava avena. «Stasera» pensai «ci saranno più ubriachi in giro. È sempre così la vigilia del giorno del Signore.»

Ritrovavo, nella rassegnazione della gente, qualcosa di Čechov, una battuta de *Le tre sorelle*: «Fra duecento, trecento anni, la vita sarà meravigliosamente bella e piacevole. E per questa nuova vita noi viviamo e soffriamo».

Lo scrittore con il quale chiacchierai una sera, mentre camminavamo lungo la Vistola e tante luci si scioglievano nell'acqua, disse: «Il fiume non può cambiare il suo corso, gli argini lo conducono verso il suo mare».

Che cos'è che più rattristava? Forse i manifesti colorati che vidi una domenica mattina a Praga passeggiando per piazza Venceslao: piccoli cecoslovacchi si fermavano davanti alle vetrine delle compagnie aeree e guardavano in silenzio. «Printemps à Paris» diceva un avviso: una formosa ragazza bionda alzava un bicchiere all'ombra della torre Eiffel e di oleandri in fiore e l'uomo che le sedeva accanto, giacca blu e bottoni d'oro, sorrideva felice.

In un altro si vedeva un gentiluomo dai capelli grigi, stivaloni di gomma, giubba di camoscio che pescava lucidi salmoni nei torrenti dell'Europa settentrionale. «Non avranno mai un passaporto;» pensavo «come diventa importante questo libretto quando sai che non puoi averlo, che forse non lo avrai mai.»

Quella sera all'osteria del Calice. Festoni di carta pendevano dal soffitto, in un angolo la stufa spenta copriva un poco l'immagine del soldato Švejk dipinta sul muro. Il disegno rappresentava l'immaginario frequentatore del locale che, la pipa tra i denti, camminava sotto una bufera di grossi fiocchi di neve. Un grassone suonava la chitarra in una nebbia di fumo, tra un acre odore di birra, di salsicce e di senape. Al sempliciotto Švejk avevano insegnato che «il soldato non deve pensare, c'è il superiore che pensa per lui». La regola valeva ancora.

Conobbi a Budapest un pensionato che diceva di avere ispirato a Ferenc Molnár la figura del protagonista dei *Ragazzi della via Paal*. Ogni anno lo portavano alla televisione, i bambini per la strada gli chiedevano l'autografo, aveva un timbro con scritto «Nemecsek» per rispondere alle lettere.

Mi raccontò che suo padre faceva davvero il sarto ed era lui che andava a consegnare gli abiti appena finiti a un giovane cronista, il signor Molnár, che gli rivolgeva tante domande e gli regalava anche qualche fiorino.

Scoprirono poi che mentiva, che si era inventato un passato che non esisteva: lui non era «il biondino» che ci aveva fatto piangere, ma un impostore. Il povero Nemecsek moriva una seconda volta, non nel delirio della febbre, ma nelle cronache giudiziarie.

E il mio pensiero rispettoso va alla signora Honty Hanna (gli ungheresi mettono prima il cognome), stella del teatro dell'operetta: per settecento sere era stata *La principessa della Csárdás*.

Aveva passato i settanta ma era ancora là, sul palcoscenico, maestosa, immensa sotto i riflettori, vestita di taffetà nero, una nuvola i capelli.

Cara Hannah, la cui voce, le cui gambe consolarono alcune generazioni. La vecchia dama, il vecchio teatro dai fregi e dai velluti scoloriti e i valzer che sembravano la marcia funebre di un'epoca di cui il suicida Stefan Zweig ha lasciato, nelle memorie, un segno di rimpianto che è anche un epitaffio: «Era un mondo più ordinato, senza fretta. Si viveva più in pace».

A Varsavia, incontrai il regista Wajda. Prendemmo un caffè al Bristol e mi raccontò un soggetto che avrebbe voluto realizzare: l'avventura di uno stakanovista che diventava deputato e si corrompeva, una vicenda amara. In Polonia c'era ancora la libertà di essere pessimisti. Le statistiche dicevano che la gente beveva due volte e mezzo di più di prima della guerra e che una persona doveva vivere in cinque metri quadrati. Sembra uno spazio miserabile: eppure bastava per tante storie.

Qualcuno ha detto: «Per ogni uomo che incontri qualcosa in te muore». Rivedo l'amico di Krystyna, una ragazza di sedici anni, che sapeva già tutto della vita. Lui era un pittore, divorziato, un piccolo cinico esponente della dolce vita polacca: «Non si può fare l'amore con tutte le donne,» diceva ridendo «ma si può provare».

Mi disse Il'ja Erenburg congedandosi in un giorno d'autunno nella sua dacia: «Ho imparato la scienza degli addii».

Era il solo superstite della generazione di Pasternak e di Babel', un sopravvissuto, poco amato dalla sua patria e insultato all'estero. Raymond Cartier, un popolarissimo giornalista francese, lo descrisse come «un tipo orgoglioso, vanitoso, servile con i potenti, sprezzante con gli altri».

L'ho visto per tre volte, l'ho ascoltato e non me la sento di confermare questo giudizio. Del resto, ha confessato nelle sue memorie: «Che cosa non si adatta a fare un uomo soprattutto nelle epoche definite storiche? Hanno criticato non tanto i miei libri quanto la mia vita».

Disse con freddezza: «Di tutti gli scrittori che conobbi prima della Rivoluzione non è rimasto nessuno».

Aveva un'aria triste: i capelli candidi, occhi chiari. Tacque un attimo, poi sorrise: «Majakovskij, a guardarlo di fuori, sembrava un violento, ecco pareva proprio un gigante, ma aveva un carattere debole. Era perseguitato dalle ossessioni: quella dei microbi, ad esempio. Appena stringeva la mano a qualcuno correva a lavarsi. Se si sedeva al caffè, usava una cannuccia per bere.

«Esenin era un contadino sconvolto dalla danzatrice Duncan, dai viaggi all'estero, dal bere. Questo è un male della Russia e dell'America: metà degli artisti sono alcolizzati.

«Negli ultimi tempi non vedevo Pasternak, ma credo che sia morto contento perché, almeno all'estero, avevano pubblicato *Il dottor Živago*, perché pensava di avere ragione. Dopo Blok, io lo considero il più grande poeta del nostro secolo».

Mi mostrò un disegno attaccato sopra il suo letto; era il ritratto di una ragazza, una *petite russe*, fatto da uno sconosciuto pittore italiano che la conobbe tanti fa a Parigi: lui si chiamava Modigliani, lei Anna Achmatova.

Mi fece vedere anche un bozzetto di Picasso, aveva frequentato lo studio di Matisse.

Non nominava mai i suoi nemici, diceva che non voleva ricordarli. Era stato testimone e protagonista di tanti drammi: aveva visto impiccare dai comunisti un compagno come il capo cecoslovacco Vlado Clementis, che non aveva mai tradito; aveva visto costretti a tacere, o deportati, gli amici della giovinezza; per tante notti aveva atteso con una valigetta sempre pronta che qualcuno bussasse alla porta.

La sua colpa era quella di avere vissuto. «A un tratto» disse «ho sentito quanto è lunga la vita. Forse la vecchiaia prende tutti alla sprovvista. Non si esauriscono le passioni, ma soltanto le forze.»

Uscimmo a passeggiare tra i piccoli tigli che Erenburg aveva piantato; sotto scrosciavano le acque dell'Istra. «Tra poco» mi disse «sarà tutto bianco.»

Un pomeriggio di domenica, andai con Enrico Emanuelli (c'era un congresso degli scrittori e io lo seguivo da cronista) a Peredelkino, dove Pasternak riposa. Lo portarono al cimitero una sera di giugno: la bara, come si usa, era scoperta e il morto aveva attorno ai capelli grigi tanti fiori. Svjatoslav Richter suonava al piano la *Marcia funebre* di Chopin e le note uscivano dalla dacia, leggere. Lo deposero sulla collina, sotto un vecchio pino. Sul marmo il suo nome e due date: 1890-1960.

Aprii la porta della cancellata, mi sedetti su una panchina. Un cane abbaiava lontano, cantavano i merli nel bosco e gracchiavano, volando basso, le cornacchie. Una farfalla bianca volava sui myosotis, tra le violecciocche e i papaveri che sfiorivano sulla tomba del poeta.

Disse Evtušenko: «Dava l'impressione di non essere un uomo, ma un profumo, un raggio di luce, un fruscio. E chi si accorge di un fruscio in un mondo in tempesta?».

Ed Erenburg: «Fra i tanti poeti che ho conosciuto era il più affascinante e il più insopportabile e misterioso».

Gli assegnarono il Nobel, ma gli proibirono di andare a ritirarlo. Nessun riconoscimento, neppure una decorazione in URSS, in tutta la vita. Solo Malraux a un congresso di scrittori, nel 1935, disse: «Avete davanti a voi uno dei più grandi poeti del nostro tempo».

Andai a trovare Ol'ga Ivinskaja, la donna che gli aveva ispirato la figura di Lara, una creatura che aveva, si legge ne *Il dottor Živago*, «una intelligenza limpida, un carattere mite. Ed era molto preziosa».

Quando si conoscono, Ol'ga è bionda, tenera, spregiudicata e sincera: ha vissuto tante infamie e le confessa. Il suo primo marito si impicca perché Ol'ga lo tradisce con un suo avversario; il secondo le muore tra le braccia, forse ha denunciato la madre colpevole di una battuta irriguardosa su Stalin che l'ha fatta spedire al Gulag.

Ma Pasternak ascolta quelle spietate confessioni senza pronunciare condanne. Dice il suo Jurij Živago: «Io non amo la gente perfetta, quelli che non sono mai caduti e non hanno mai inciampato».

È sconvolto e segnato dalla miracolosa presenza di Ol'ga: «Sei il mio regalo di primavera, anima mia» sospira.

Ma nelle sue memorie Ol'ga annota: «Ma quanta felicità, quanti orrori e quanti scompigli mi portò quell'uomo».

L'Unione degli scrittori l'aveva definita «amante senza scrupoli». Poi l'hanno riabilitata.

Quando la incontrai viveva a Mosca, nel modesto appartamento di un caseggiato popolare: cucina e salotto che faceva anche da camera da letto, con due divani coperti da drappi sfilacciati e pochi mobili. Solo qualche fotografia documentava il passato e il dolore senza fine: morti, e due volte il campo di concentramento. Era vecchia e non poteva più uscire di casa: la vita la stava abbandonando.

«Il *Dottor Živago*» mi disse «è tragicamente legato alla mia vita. Alla fine del 1946 ho conosciuto Boris Leonidovič. A quell'epoca esisteva solo qualche abbozzo in prosa, che poi sarebbe diventato il romanzo e non aveva ancora quel titolo. Rivedendo adesso la donna che ero posso dire che fui crudelmente legata a quel libro. Boris Leonidovič scriveva i primi capitoli. Io partecipavo alla lettura, riunendo gli amici e cercando di farlo in modo discreto. Il fatto suscitava la curiosità e i sospetti del potere. Pensavano perfino che lui fosse una spia. E che per colpire lui dovevano punire me.

«Sono entrata alla Lubjanka la stessa notte del mio arresto, nell'ottobre del 1949. Boris mi scriveva fingendo di essere mia madre. Mi hanno consegnato anche una lettera che conteneva molti versi; oggi fanno parte del patrimonio letterario nazionale. Mi hanno condannata a cinque anni perché ero amica di persone sospettate di spionaggio. Sono arrivata in prigione in un momento molto delicato: ero incinta. Ho perso il mio bambino, poi c'è stato il lager, dove si stava meglio. Si poteva uscire in cortile e vedere crescere l'erba. Ho vissuto le notti interminabili degli interrogatori.

«Boris Leonidovič aiutava tutti quelli che avevano bisogno. Diceva che gli era più facile essere generoso. "Quindi" spiegava "lo faccio per egoismo."

«Tutti i soldi che si potevano sottrarre alla famiglia venivano spesi per la gente caduta in disgrazia. Rispondeva a ogni richiesta di aiuto. C'è chi ha potuto restare in vita grazie al suo intervento.

«Proprio in questo periodo è successo un fatto straordinario: Stalin gli ha telefonato per chiedergli che opinione aveva di Mandel'štam. Boris gli rispose che era certamente un maestro, un ottimo poeta, poi gli propose di scambiare due parole sulla vita e sulla morte, voleva parlare dell'ingiustizia.

«Stalin per tutta risposta gli rimproverò di non avere saputo difendere un compagno, un amico e buttò giù il ricevitore. Boris tentò di richiamare, ma la comunicazione gli fu negata.

«Poi ci fu la campagna denigratoria perché aveva consegnato, orrore, il suo romanzo agli italiani. Mi chiesero di recuperare il manoscritto. Cominciai a scrivere a Giangiacomo Feltrinelli che decise però di stamparlo, e aveva ragione. Io conservavo le lettere che riceveva dall'estero: Steinbeck, Nehru e Hemingway gli offrivano asilo.

«Lara è l'amore di Živago, con il quale Pasternak si identificava, anche se Lara non sono esattamente io, lui desiderava che lo fossi.»

Mi è sempre piaciuto andare a vedere le case degli scrittori. La mia scuola media era vicina a quella del Carducci: sulla porta c'era ancora una targa di ottone senza il nome dell'inquilino: solo una G. Qui gli portarono il telegramma che gli annunciava il Premio Nobel; lo legge e poi si rivolge alla moglie: «Elvira, hai visto che non sono un cretino?».

Ricordo la piccola signora che faceva la direttrice nella casa di Čechov. Aveva un volto tondo e mite e un sorriso sfumato. Saliva le scale con fatica agitando il ventaglio. Aveva perso il marito e l'unico figlio a Stalingrado. La sua vita era ormai chiusa là dentro: parlava del dottor Anton Čehov come di una persona che le apparteneva.

«Questo calamaio» raccontava «glielo regalò una vicina. Era povera e lui la curò rifiutando il compenso.»

Innaffiava le pianticelle della stanza da letto, aggiustava le lenzuola con le cifre che la madre dello scrittore aveva ricamate, spolverava la lumiera di porcellana azzurra.

Mi disse: «Prima di chiudere gli occhi mormorò: "Ich sterbe – Io muoio"; parlò in tedesco. Ma noi russi sappiamo morire».

Così, una mattina di agosto, andai a cercare, lungo una breve via dal selciato sconnesso, l'edificio grigio che ospitava, durante l'inverno, la famiglia Tolstoj. Nel parco, dove querce e lecci distendono larghe ombre, insetti dorati ronzavano tra le foglie. Attorno era silenzio.

Tutto è rimasto come allora e nelle stanze si respira un senso di sicurezza borghese: la macchina da cucire nell'alloggio delle domestiche, una bicicletta nel ripostiglio, il bigliardino per gli svaghi serali; nella camera dei ragazzi c'è il mappamondo, un cavallo a dondolo di cartapesta maltrattato, il primo libro di lettura con qualche figurina colorata.

All'attaccapanni è appeso il cappotto foderato di pelliccia che lo scrittore indossava per andare a passeggio, accompagnato da un barboncino nero, sulla neve morbida, e le tarme insidiavano il vecchio pastrano. La tavola, nella sala da pranzo, è sempre apparecchiata per undici; al posto di riguardo sedeva la moglie e attorno i figli.

A Tolstoj, che era vegetariano e sdentato, la cameriera portava un vassoio particolare: zuppa di avena o minestra di cavoli, crocchette di riso o di patate e un uovo à la coque, pomodori crudi, gelatina di frutta e un goccio di vino bianco annacquato.

Qui arrivavano i discorsi e le chiacchiere della bella gente moscovita: gli parlarono, ad esempio, di Anna Stepanovna Pirogova, che avendo sorpreso il marito mentre trescava con l'istitutrice tedesca, andò con gli occhi sbarrati verso le luci gialle di una locomotiva e diventò per sempre Anna Karenina.

Una domenica presi la strada che conduce a Charkov e arrivai a Jasnaja Poljana.

Qui Tolstoj è nato: venne al mondo sul largo divano di pelle scura che si conservava ancora nello studio, come i suoi fratelli, come i suoi figlioli, perché dicevano che portava fortuna. Da qui partì per andare a morire, stravolto dalla stanchezza e assillato dai problemi morali, alla stazione di Astapovo.

Attorno alle scuderie del conte Volkonskij, il nonno materno che possedeva queste terre, volavano bassi i rondoni e larghe farfalle bianche che si posavano sui giunchi.

Si legge nel diario dell'autore di *Guerra e pace*: «Mi è indispensabile possedere una donna. La lussuria non mi lascia pace».

Da giovanotto seduce Gaša, una serva, e la zia Antoinette, per punire la svergognata, la scaccia; vecchio ne ricorda un'altra dal «corpo vigoroso»; dalla contadina Aksinja, sua amante per tre anni, ha un figlio, Timofej, che guida la slitta e lo chiama «signore». Confessò poi in tarda età: «Io ero insaziabile». Esortava: «Non commettete nulla che sia contro l'amore».

Conservano una pesante macchina per scrivere Remington e il registratore che Edison gli mandò in dono. Mi fermai davanti alla sua scrivania: è posta sotto una finestra. Si vedono abeti, faggi e l'erba verde.

Qui passò lunghe ore a meditare sulla sorte degli uomini e a inventare un destino per Liza, per Anna, per Vronskij o per Pierre Bezuchov: «Tutte le felicità si assomigliano,» ha scritto «ma ogni infelicità ha la sua fisionomia». E ancora: «I peggiori sono sempre stati al potere e vi sono ancora. Dio esiste, ma non ha nessuna fretta di farlo sapere».

La sua tomba è sotto due grandi aceri, in mezzo a un bosco di betulle screziate, di querce antiche, di faggi. Un breve rialzo di terra, coperto in primavera di garofani candidi, poi di foglie, poi di neve. Nella buona stagione al mattino cantano gli uccelli.

Sono passato da Oxford, nel Mississippi; volevo vedere la sua casa, quello che è rimasto. Il suo nome figurava ancora nell'elenco del telefono, Faulkner William Culbert, 3-2-8-4, ma al 719 di Garfield Avenue non abitava più nessuno.

Le assi del piccolo patio di legno scricchiolavano, la cassetta per la posta era arrugginita, il recinto dei cavalli marciva. Sul comodino da notte, al motel, c'era un opuscolo dedicato alla città: abitanti 25.000, due alberghi, una stazione radio. I personaggi più importanti erano due ragazze che furono elette Miss America, e due grandi illustrazioni ne giustificavano gli evidenti meriti, e infine, con una foto più piccola, un certo William Faulkner che nel 1950 aveva vinto un Premio Nobel.

Non amava i suoi compaesani e solo il droghiere, un lindo e sorridente ometto, riceveva le pacate confidenze di «Bill» e poteva addirittura chiamarlo così, ma la gente di Oxford non lo considerava gran che.

Lo incontrai una volta che venne a Milano, alcuni amici mi portarono con lui a pranzo al Savini e in giro per la città. Aveva una giacca con i gomiti rivestiti di cuoio, fumava la pipa, pochi ebbero il privilegio di sentire la sua voce.

Ricordo gli occhi piccoli e socchiusi, ricordo che non gli importava nulla dei letterati, dei romanzi che gli facevano firmare e neppure di noi. Mangiò risotto e cotoletta, bevve vino rosso.

Annotai alcune frasi: «Vorrei essere un vagabondo. Perché sono andato a Hollywood? Perché mi davano dei soldi. Non scrivo mai delle cose che non mi sono accadute».

Ci sono alcune righe che possono essere considerate un testamento: «È un'ambizione di essere, in quanto semplice cittadino, cancellato, soppresso dalla storia, senza lasciare su di essa alcuna traccia, alcun cascame, niente altro che alcuni volumi stampati. Mio scopo, la tensione del mio sforzo è che il riepilogo e il racconto della mia vita siano rinchiusi in una frase che sia anche il mio epitaffio: "Ha scritto dei libri ed è morto"».

Al cimitero, la tomba di William Culbert Faulkner (25 settembre 1897 - 6 luglio 1962) è sotto la seconda collina, isolata, ed è la più brutta. Sulla lapide si legge anche: «Amato, vai con Dio».

Sono andato a Cuba, a cercare la presenza di Ernest Hemingway. Mi parlò di lui e di quei posti una ragazza veneziana, Adriana Ivancich, una deliziosa e gentile persona, scomparsa tragicamente. Ispirò al romanziere la figura di Renata, la protagonista di *Di là dal fiume e tra gli alberi*. Incontrando la romantica e nobile fanciulla il vecchio colonnello Richard Cantwell, che va verso la morte, vive «il suo ultimo, il suo vero, il suo unico amore».

«Aveva» scrive Hemingway «una pelle pallida, quasi olivastra, un profilo che avrebbe fatto battere il cuore di chiunque e i capelli bruni di fibra vivace le cadevano sulle spalle.»

Quando le parlai era da qualche anno la moglie di un uomo d'affari tedesco e aveva due figli. Viveva in una villa sulla collina di Varese, nella brughiera.

Mi parlò di quello scrittore famoso e solo che le diceva: «Adriana, tu mi hai dato un soffio di vita. Grazie a te scriverò ancora un romanzo, il più bello».

Lui la chiamava in tanti modi, Daughter, figlia, o Partner, socia. O anche Black Horse, Cavallo nero. «Io allora non sapevo che cosa c'era nel suo cuore, nel suo destino, cosa significava l'incontro di una ragazzina e di uno scrittore alla ricerca dell'ispirazione perduta, in una Venezia autunnale, rarefatta, quasi disperata. Gli sono passata accanto senza conoscerlo. Mi ha scritto una settantina di lettere: d'accordo con Mary, la moglie, le ho vendute. Verranno pubblicate fra tanto tempo; allora nessuno di noi ci sarà più.»

«"La gente" mi scrisse una volta "è gelosa di coloro che sono felici."»

La invitò, e andò con la madre e il fratello a Cuba. Lui scriveva, lei disegnava. «Un giorno Papa» lei lo chiamava così «mi chiese di accompagnarlo alla piccola baia di Cojimar. Non capivo il perché di quell'invito: "Devi solo guardare l'Oceano assieme a me" mi disse. Forse è stato il momento più intenso della nostra amicizia; quel cielo, le grida dei gabbiani, il fragore delle onde, i pescatori che tiravano su le reti; lui taceva, aveva gli occhi pieni di lacrime. Stava vivendo, in silenzio, lo sgomento de *Il vecchio e il mare.* Allora sentii la sua grande tristezza.»

Disse Hemingway a un biografo: «Quando la ferita fa veramente male, io piango».

Lo hanno sepolto a Katchum, Idaho, in una fossa, una lapide con un nome, e sul fondo c'è un piccolo monte, pieno di arbusti e di felci. «E adesso» disse un suo personaggio, il vecchio colonnello Richard Cantwell, «andiamo oltre il fiume, e andiamo a riposare tra gli alberi.»

In testa a un suo romanzo aveva posto questa frase dell'*Ecclesiaste*: «Una generazione va e un'altra viene, ma la terra rimane sempre lì».

Al ritorno dai viaggi c'era sempre qualche amico, o qualche collega, che mi chiedeva: «E le donne?». Mi viene in mente un film nel quale Alberto Sordi interpretava la parte del *latin lover* in versione Trastevere. «La francese è *joli*, è civettuola, carina; la spagnola è ardente, un po' bassettina di fianchi.» Cito a memoria, ma il senso del discorso era questo.

Non so come saranno definiti dai nostri posteri gli anni che sono seguiti alla guerra: della ricostruzione, dei miracoli economici, forse della pace sorretta dal terrore, forse anche dell'ossessione, o quasi, della scoperta del sesso.

Anatole France sosteneva che Adamo ed Eva erano già abbastanza informati, ma tutto quello che avremmo voluto sapere c'è stato detto, e quello che era nascosto lo hanno esibito.

Qualcuno è arrivato a proclamare: «Non c'è che il nudo che veste bene la donna».

Forse la Scandinavia e la Germania per un italiano sono stati i paesi all'avanguardia della liberalizzazione. Ricordo che a Stoccolma, nelle vetrine dei negozietti attorno a Stureplan, erano in mostra, accanto ai giocattoli per i bambini, ai cavallucci di legno del Dalarn, fotografie di signorine lascive.

Appunto per i connazionali. A Stoccolma per dire «Io ti amo» si usano queste dure parole: «Jag âlskar dig», e se avete la stessa necessità a Helsinki, eccovi la frase corrispondente: «Mina rakastare sinua».

L'italiano che capita da quelle parti, anche se ha scarsa disposizione per le lingue, questi utili concettini impara a esprimerli subito.

Gli hanno detto che a diciotto anni le ragazze hanno già in borsetta la chiave di casa e che mostrarsi nudi, specie nella buona stagione – si capisce –, è quasi un dovere.

Mi hanno raccontato che si comportò così anche un nostro grande poeta nella camera dell'albergo che lo ospitava per un prestigioso riconoscimento, ma la graziosa cameriera si ritirò chiudendo la porta e non dimostrando alcuna propensione per la letteratura.

Scriveva Enrico Emanuelli, un collega e un amico che mi fu caro, nel suo ultimo libro: «Gli anni fuggono e tornano, come le lancette dell'orologio che passano e ripassano – correndo e ritardando – sempre sulla stessa cifra».

È così, e anch'io mi sento un «testimone involontario» di trame sfuggenti e anche un po' misteriose, o di vicende che si sono ripetute, ma apparivano sempre diverse, o importanti, soprattutto per chi doveva viverle.

Avevo diciotto anni e scrivevo brevi cronache per un quotidiano cattolico, *L'avvenire d'Italia*. Mi mandarono ad ascoltare le opere che, durante l'estate, si rappresentavano in un grande teatro all'aperto, davanti alla chiesa del Baraccano, per fare, come si dice nel gergo, del «colore».

Una sera davano la *Bohème*, l'interprete era Mafalda Favero, bruna, bella, viva. La faccia segnata dagli zigomi forti e dagli occhi neri, la pelle trasparente delle ferraresi, la scollatura generosa. Ne rimasi colpito.

Andai a trovarla in camerino, ed ero ancora più timido e impacciato del solito: non so che cosa le domandai e neppure quello che scrissi. Pensai, di certo, che era affascinante e forse, con invidia, agli amori delle cantanti con i musicisti, o i prìncipi, alle favole del palcoscenico. E in fondo che Mimì si invaghisce dello squattrinato poeta Rodolfo, quasi un collega.

Tanti anni dopo lessi il racconto che Mafalda Favero faceva a Letizia Rettalon del suo tempo magico, dei giorni del successo. Diceva: «Il passato è passato. Non penso all'avvenire, sono stanca di vivere, vivo perché devo. Non ho molti interessi né amiche, leggo qualche libro; amo Biagi e De Marchi, Malaparte e D'Annunzio, la letteratura russa e i romanzi decadenti, dalle tinte forti e travolgenti, molto simili al mio temperamento. Dicono che fossi una bella donna. Piacevo. Avevo un bel corpo e lo facevo vedere. Sapevo già tutto in anticipo per cui non avevo sorprese e neanche gioie. Quando tornavo a casa, dopo le serate trionfali, piangevo nel mio letto buio».

La rivedo, accaldata e felice, nello splendore delle luci della ribalta che si inchina agli applausi. Mi dispiace di non essere andato a cercarla quando era sola e quasi dimenticata.

Brevi incontri che ti rimangono dentro. A Bologna, all'Hotel Baglioni, andai a intervistare il regista Fred Zinnemann, l'autore di un bellissimo film, *Odissea tragica*. Cercava una ragazzina, una adolescente, per *Teresa*, che si preparava a girare.

Arrivò, accompagnata dalla madre, una signora dai modi decisi, una giovinetta dall'aria dolcissima e innocente: Anna Maria Pierangeli. Sembrava indifesa, pareva che tutti potessero decidere per lei. Diventò una piccola diva, finì a Hollywood, finì male.

Di lei si innamorò un personaggio che diventò una leggenda: James Dean. La chiamava «Miss Pizza», andavano a nascondersi nei piccoli *cottages* sulla riva del Pacifico, due smarriti e insicuri eroi dei *teenagers*, T-Shirt, blue jeans, fast food, la divisa di una generazione, e i giorni che si consumano e si bruciano rapidamente.

Un vecchio pugile, dalle avventurose esperienze e anche dalle sconosciute generosità, Saverio Turiello, mi raccontò di «Pier», ormai rassegnata alla fine: beveva senza gusto, con la voglia di distruggersi, aveva tante paure. Forse le pesava anche il rimpianto di avere preferito, obbedendo, un noioso e compito cantante da night allo sciagurato e tenero James Dean.

Non c'era per lei tenerezza, la gente la sfuggiva e «Savy» molte notti la prendeva in braccio, come si fa con una bambina, e la portava a casa, aspettando che si addormentasse.

Come Lewis Stone, un mito della vecchia Hollywood, posso anch'io ripetere la battuta che concludeva *Grand Hotel*: «Gente che va, gente che viene».

Illusioni e rimorsi, rimpianti e rancori, peccati e virtù, un piccolo campionario di storie umane, di brevi estasi e di composte infelicità: rievocazioni che nascono da un odore, una canzone, una parola, uno scroscio di pioggia, il profumo dell'erba medica bagnata, e io ritrovo trame che mi parevano cancellate dai giorni, altre atmosfere che hanno segnato, con il mio trascurabile destino, anche quello del mondo. Come certi patetici eroi di De Amicis, ho il malinconico privilegio di poter dire: «Io c'ero».

Ho sottolineato un pensiero di Fernando Pessoa: «La vita visse noi, non noi la vita». È vero: sono poche le scelte che ho potuto fare. Ho girato il mondo e non ho mai avuto una vera vocazione per i viaggi.

Se vado a New York o a Berlino, alloggio sempre nello stesso albergo, mangio al solito ristorante: mi dà sicurezza, e mi rattrista non ritrovare i vecchi camerieri.

Non so quante volte sono andato in America dal primo viaggio del 1952: era proprio come al cinematografo. Anzi: mi pareva di esserci sempre stato. È segnato da incontri molto fortunati: fui invitato per un tè da Eleanor Roosevelt: le caricature mettevano in risalto soprattutto i suoi denti e non la sua intelligenza, il suo garbo, la partecipazione alla vita di tutti.

Viveva nella 62ª Strada, a New York, con una cameriera e un autista nero. Anche Miss Thompson, la vecchia segretaria, se ne era andata. Ogni giorno scriveva il diario per una catena di quotidiani e andava spesso a tenere conferenze. I ricordi non le mancavano.

Ci sedemmo in salotto, vicino al caminetto. Indossava un ambito di taffetà. Soltanto una spilla di brillanti e le unghie laccate di rosa svelavano qualche ricercatezza.

Raccontò: «Sono stata per dodici anni alla Casa Bianca. Era una vita diversa, certo. Ma ho un solo rimpianto, lui. Non mi pare abbia mai perso la calma; sì, due o tre volte, ma si trattava di persone che avevano compiuto gesti spregevoli. Il giorno in cui fu eletto la prima volta, il giorno di Pearl Harbor.

«Lo chiamarono a guidare l'America, e molti lo credevano finito. Il Paese andava in rovina. Era colpito dalla paralisi e vinse il male. Fece un grande discorso al Congresso, credo il più bello di tutta la sua carriera, parlò in piedi. Io pensavo che la politica fosse per lui come una cura, ero felice del suo successo, ma gli dissi: "Povero Franklin, io so quello che ti aspetta".

«Il giorno dell'attacco giapponese venne a cena tardi. Era stanco, taciturno. Io lo incoraggiai: "È più facile vivere conoscendo il peggio che nell'incertezza". Andammo a tavola».

Congedandomi mi disse: «La vita è fatta per essere vissuta e la curiosità va mantenuta. Non bisogna mai voltare le spalle alla vita».

Ho visto Richard Nixon e Pat in occasione di una cerimonia ufficiale, nel giardino della Casa Bianca. Pat era vestita come una caramella: color pistacchio, ma appariva bionda, sorridente, gradevole. Mi spiegarono che quella coppia rappresentava l'*American Dream*, il sogno di quella che i politologi definiscono «la maggioranza silenziosa».

Avevano cominciato da poveretti: lui si era iscritto a legge con una borsa per gli ex combattenti; lei era orfana, non aveva neppure la lavatrice; Pat era figlia di un minatore e pensava, tutt'al più, di diventare una istitutrice.

Il bravo Richard si dimenticò dell'ammonimento di Abraham Lincoln: «Si può ingannare una persona sempre, e tutto il mondo una volta, ma non tutto il mondo sempre».

Tutta la faccenda va sotto un nome: Watergate. Un grande edificio, un mediocre intrigo; ma segnò l'inizio della fine.

Era difficile per noi capire come si potesse cacciare un presidente eletto con più del 60 per cento di voti, e soprattutto buttarlo fuori perché non aveva detto la verità. Solo l'Inghilterra aveva mandato a casa il ministro Profumo che, compromesso per un impiccio amoroso, aveva mentito al Parlamento.

Nixon, per avvantaggiarsi sugli avversari, ricorreva alle intercettazioni telefoniche e aveva ricevuto finanziamenti illeciti. Tra l'altro, anche un milione di dollari dal nostro Michele Sindona: però respinti.

«Fuori dalla Casa Bianca chi ha detto il falso» si leggeva sui cartelloni dei dimostranti e recitavano i titoli dei giornali.

Non è un mestiere semplice abitare al 116 di Pennsylvania Avenue a Washington (D.C.). Eppure ogni cittadino si sente un aspirante e possibile inquilino.

Mi portavo dietro anche la leggenda, l'epica dei pellirosse: salii sul bimotore che faceva scalo a Wilslow, noleggiai una *station wagon* e, dopo una lunga corsa sull'asfalto che brucia i pneumatici, scoprii che il deserto dell'Arizona è ricco e così le montagne. Le *mesas*, i villaggi degli indiani, stanno in alto, sulle rocce; una casa vicina all'altra e galline, somarelli, bambini invadono la piazza.

Qui vivono gli Hopi, i più umili e i più antichi, i primi che passarono lo stretto di Bering per scoprire l'America e vissero per secoli in letizia. Hopi vuol dire pace.

Cristoforo Colombo, quando li conobbe, ne fu entusiasta. Li chiamò Indios e spiegò ai sovrani di

Spagna che non c'era in giro gente migliore: «Essi amano il prossimo come se stessi».

Gli Hopi erano semplici e ingenui: credevano alla parola data, insegnavano ai ragazzi che bisogna sempre dire la verità e non si deve mai prendere la donna o la roba altrui senza pagarla. Ma, nonostante il valore dei capi – Nuvola Rossa e Toro Seduto, Lupo Solitario e Falco Nero –, l'intero popolo indiano, poco meno di un milione di persone, centinaia di clan, venne distrutto e umiliato.

Ho conosciuto anche una principessa pellirossa: sono andato a cercarla, una domenica, a Southampton, nei pochi acri di terra dove si sono rifugiati gli ultimi Shinnecocks. Vive sola in una casa dai mattoni anneriti, il cagnetto abbaia nella rimessa dell'auto, attorno ci sono macchie di aceri, faggi, grandi querce, la spiaggia deserta. Il mare è opaco nel tramonto.

Si chiama Nowedonah, che vuol dire La Prudente; è una donna grossa e mite, porta un'ampia sottana di cotone giallo con le frange, ha le trecce legate dai nastrini e campa raccontando sui giornali la vita della sua gente.

Non è stato facile rintracciarla; mi sono fermato, per chiedere notizie, alla bottega della signora Fernandez, sull'autostrada. Fuori c'è un totem che fa da richiamo, e sopra i banchi bambole che portano il bambino in una sacca legata alla schiena, e calumet, archi, frecce e tende, non più fatte con la pelle di bisonte, ma con plastica sottile.

La signora Ferdandez smercia ai turisti le piccole cianfrusaglie che ricordano il suo mondo e quello degli antenati, e si lascia fotografare accanto al ritratto del marito, che ha l'aspetto del fiero guerriero con il ventaglio di penne in testa, la fronte bassa, lo sguardo acceso, e che morì tranquillamente nel suo letto, confortato da una pensione di macchinista delle ferrovie.

Feci qualche acquisto e chiacchierammo un po'. La signora Fernandez mi disse della figlia che ha studiato canto con un tenore di Napoli e che è andata sposa a un elettrotecnico armeno; mi spiegò che i giovani, troppi giovani, quando arrivano a New York se ne infischiano delle tradizioni, e c'era nella sua voce un sincero rimpianto.

Volle che qualcuno mi accompagnasse, e telefonò a Chief Pogga-l-tatuck, che vuol dire Capo Astuto, e dopo qualche minuto l'autorevole personaggio arrivò sferragliando su una Oldsmobile che marciava a tre cilindri.

L'Astuto aveva la faccia unta e cordiale e lo stomaco gonfio di birra, rideva e fu contento di portarmi attraverso sentieri polverosi a trovare la principessa Nowedonah.

Il nostro passaggio era salutato da lontani guaiti e da soffi di vento che sapevano di carne cotta sulla brace.

«Qui, una volta,» diceva il Chief «c'erano tredici tribù, parlo di prima che arrivassero quei maledetti inglesi; ora siamo in tutto in seicento, con le donne e i ragazzi. Tredici tribù, c'erano i Montaks e i Corchangs, e i Secatogs, e i Morokees, e noi Shinnecocks, naturalmente; poi arrivarono quei maledetti inglesi, una mattina di giugno, e dovemmo smettere di andare a caccia e di pescare, di allevare bestiame, noi eravamo i padroni di Long Island e di tutti gli altri posti, ma non ci fu più niente da fare.»

Parlava con un tale dolore, come se i terribili fatti fossero accaduti la scorsa settimana, e pensare che quella mattina di giugno, quando sbarcarono i visi pallidi, con la Bibbia e i fucili, il violino per accompagnare il canto dei salmi e i balli nuziali sull'aia, quel giorno infausto, dicevamo, risale a un giugno remoto, giugno 1626, per essere esatti.

La straziante Oldsmobile saltellava tra i pini nani e l'erba secca, tra i boschetti dove si nascondevano le volpi, lasciava dietro di sé nuvole di sabbia e odore di benzina bruciata e l'Astuto chiacchierava di buon umore, nonostante il ricordo di quei puritani che portarono, tra il suo pacifico popolo, l'alcol, i fucili e la violenza.

«Io» diceva saltando al presente «lavoro a una stazione di rifornimento, faccio il turno di notte e fra poco devo lasciarvi, non ho il privilegio di essere un Mohawk, altrimenti sarei più libero e porterei a casa un bel mucchio di dollari.»

I Mohawks abitano a Brooklyn, ne avevo incontrato qualcuno il sabato sera, nei caffè degli italiani, stavano fra di loro, bevevano vino, mangiavano pizza, ma erano chiusi nelle loro parole, nella loro amicizia.

I Mohawks non temono le vertigini, sono gli indiani più forti e più abili nel salire a montare grattacieli, sono arrivati sull'Empire (metri 448,750) a piantare l'antenna della televisione, hanno trafficato sui piloni del ponte di Verrazzano, e tre sono piombati giù, è un mestiere che richiede occhio, stomaco e coraggio, ma come disse Cliff Diablo: «Quando l'opera è terminata, uno si mette a guardare e allora si ha qualcosa nel cuore che prima non c'era».

I Mohawks bevono per tenersi in forza e mettono via i soldi per quando viene il momento delle vacanze; allora saltano su un treno e tornano alle riserve, verso i Grandi Laghi, verso il Canada, e nel giorno di festa indossano i vestiti tradizionali per pregare gli spiriti che stanno nel Regno delle Ombre, e mangiano il *peyote*, il fiore di un cactus che produce una allegria che consola.

La principessa Nowedonah mi accolse con ogni riguardo; imbruniva, ci sedemmo sotto una grande pianta, il silenzio era rotto soltanto dal frullio di qualche uccello e La Prudente mi raccontava le pene del mezzo milione di superstiti; diceva che nel 1500 forse ne contavano il doppio, poi erano accadute tutte quelle vicende che io e lei sapevamo; prese un grosso libro e mi lesse l'ultimo discorso di John Logan, il cui nome indiano era Tah-ga-hjute, ed era figlio di un francese che, catturato da bambino, era diventato capo dei Cayuga. Si sentiva un indiano e aveva sposato una giovane donna della tribù degli Shawnees. Parlò alla conferenza della pace, dopo un conflitto nel quale tutti i suoi erano stati sterminati.

Disse la principessa: «Ascolti, neppure Demostene e Cicerone avrebbero saputo parlare così».

Attaccò: «Sfido qualunque uomo bianco a dire se, entrando affamato nella tenda di Logan, non abbia ricevuto di che nutrirsi e se, essendo nudo e tremante di freddo, non abbia avuto delle vesti. Nel corso di questa lunga e sanguinosa guerra, Logan è rimasto inattivo nella sua tenda, desiderando la concordia. Tale era il suo amore per i visi pallidi che i suoi concittadini lo additavano per via, dicendo: "Ecco Logan, l'amico dell'uomo bianco". Sarei giunto a credermi uno dei vostri, se non fosse intervenuto il proditorio attacco del colonnello Thomas Cressap, il quale, la primavera scorsa, uccise a sangue freddo e senza alcuna provocazione tutti i parenti di Logan, senza risparmiare né donne né bambini. Non una goccia del mio sangue scorreva più nelle vene di una creatura vivente. Sorse in me lo spirito della vendetta e io lo ascoltai. Ne ho uccisi molti e il mio spirito è ormai del tutto placato. Per i miei concittadini gioisco ai raggi della pace, ma per me nulla ha più alcun valore. Non mi importa della mia vita. Non me ne è mai importato e non ho fatto nulla per salvarla. Ora, poi chi piangerebbe Logan? Più nessuno». Quelle nobili parole sembravano ancora attuali.

Mi disse che ogni membro della comunità aveva ricevuto in assegnazione poco più di un ettaro di campo; no, non pagavano le tasse, disse con tono un po' indignato, avevano già provveduto con il sangue, ma c'era anche fra loro chi non era stato respinto dalla fortuna.

Ricordava Nuvola Nera, capo di tutti i Tuscarora, che aveva ceduto 500 acri di territorio indiano per la costruzione di un serbatoio, vicino alle cascate del Niagara, e la tribù aveva ricevuto, per l'affare, quasi 900.000 dollari e un certo numero di televisori perché agli abitanti della riserva piacciono i film western, e anche se i pellirosse le buscano non è importante, hanno capito che si tratta soltanto di una finzione.

Annottava e attorno c'era un senso di attesa, quasi di mistero. Chiesi alla principessa se non aveva paura a restare sola. Lei mi disse che dobbiamo temere soltanto la falena e gli spettri che certe streghe evocano per terrorizzare la gente, per farla impazzire.

Osservai che gli spettri si chiamano magari epilessia, schizofrenia, che i tabù forse non c'entrano, ma La Prudente mi rispose, levando gli occhi verso la luna appena spuntata, con una preghiera degli avi: «O Grande Spirito, concedimi un po' di saggezza e fa' che io non critichi il mio prossimo finché non ho percorso un miglio nei suoi mocassini».

Mi accompagnò per un tratto, passammo accanto al cimitero, proprio sulla riva del mare. «Qui,» spiegò la principessa «da duecento anni seppelliamo i nostri defunti.»

Sulle tombe c'erano pietre grigie invase dal muschio e fieno maturo che marciva; si sentivano soltanto le onde e i grilli. Mi ricordai della frase di Sheridan, il grande nemico degli uomini dalla faccia tinta di ocra: «L'unico indiano buono è quello morto», e pensai a tutti i buoni che riposavano in quell'antico cimitero, davanti all'Atlantico.

Ritornano certe domeniche, la solitudine delle lunghe giornate: non conosci nessuno, non sai dove andare.

Maledetta domenica a Copenaghen: ero ancora in cura per alcuni guai a un polmone e dovevo cercare un medico che pompasse aria in quelle pleure. C'era nebbia, e mi sentivo solo.

Tacevano anche le musiche del Tivoli, il grande parco dei divertimenti con le giostre, l'ottovolante, la galleria degli spettri.

Triste domenica a New York: capivo quel disperato personaggio di Saul Bellow che telefonava alla polizia: «Venite, prendetemi, fatemi sentire che sono vivo».

Anche la «cafeteria» del St. Moritz, con la cameriera piemontese, era chiusa; la mia finestra guardava su Central Park: due carrozzelle immobili, i cavalli dormivano nel torpido pomeriggio, sulla Quinta Strada nessuno.

Aspetto Saverio Turiello – Savy, come lo chiamano qui –: dice che ha qualcosa da farmi vedere e che ha bisogno di un consiglio. Immagino: ogni volta parla del ristorante che sta per riaprire. Cucina paesana. «Che cosa ne dici dell'idea di decorare le pareti con le fotografie dei giornalisti italiani che stanno in America?»

Siamo amici da anni. Io lo chiamo «Il Grande Bambino» e anche Margherita, la moglie, è d'accordo. Conosce tutti i guai del mondo, ma non lo hanno sporcato, picchia pulito. È stato sul ring trecento sere, due volte campione d'Europa, fu battuto da Marcel Cerdan, l'amante di Edith Piaf.

C'era una palestra al 146 West, piena di ragazzi neri che si ungevano, saltavano, se le davano, e lì si allenava anche Emil Griffith.

Ci andai con Saverio e tutti gli dicevano: «Hello champ», gli facevano festa, e al vecchio manager dal cappotto consumato, cappello perennemente in testa, che continuava a dar consigli che nessuno chiedeva, Savy metteva sempre in mano qualche dollaro: «Salute, Sam, vai a bere un goccio di scotch».

«Era una cannonata,» spiegava «ma adesso è finito.»

Per Saverio tutti lo erano: il duca di Windsor, suo cliente quando era padrone del Piccolo Club, John Kennedy, Sinatra, il tenore Di Stefano, Frank Costello, Marilyn, Hemingway e Anna Maria Pierangeli: «Una cannonata, povera bambina, sempre il bic-

chiere in mano, senza gusto. L'hanno lasciata troppo sola».

– E Sinatra?

«Francesco? Grande, buono, generoso. Cannonata davvero.»

– Mi piacerebbe fare due chiacchiere con Frank
Costello – dicevo. Era un composto, distinto signore di Cosa Nostra.

«Non fare mai nomi. Cercherò di combinare
quell'incontro al vertice, ma non è il momento migliore.»

Da quarant'anni Saverio stava laggiù. Quando
arrivò era un bel giovanotto: sapeva fare a pugni e
voleva guadagnare soldi, piaceva alle donne e agli
organizzatori, poi venne la guerra. Sfiorò la fortuna, ma non si lamentava.

«Venivo dall'Italia, nel '39» raccontava. «Com-
battei con Cerdan a Milano. Dissi a Bruno: "Fai venire tuo padre".»

– Bruno chi?

«Mussolini. Niente: mi mandò Starace. L'arbitro
mi dichiarò sconfitto ma, credimi, non era vero.
Quella volta avevo vinto io.

«Son partito per l'America e alloggiai proprio in
questo albergo. Al mattino presto andavo al parco a
far fiato. C'era anche Primo Carnera. Era tanto
grosso che per fare la doccia doveva stare seduto.
Non ti dico che impresa trovargli un'amica. Soffriva
di una avarizia schifosa.

«Abbiamo fatto la nostra per difenderci, ecco
tutto. Durante un match sono andato su e giù dieci
volte. Non c'è niente da ridere, mi avevano battezzato l'ascensore.»

– Saverio, che ne dici di Frankie Garbo?

«Francesco? Una cannonata.»

– È stato dentro dieci anni, e gliene avevano dati venti.

«Un equivoco.»

– Aveva minacciato un tipo: o fai questo match o finisci in un fosso.

«Non è vero. Francesco è bravo, il più esperto e abile *matchmaker* di boxe che ci sia mai stato in circolazione.»

– Dicono che era un gangster.

«Chi lo dice?»

– Le cronache, ad esempio.

«I giornalisti sono cattivi.»

– Anche i magistrati e i tribunali lo dicono.

«C'è sempre un procuratore che vuol far carriera. Allora sceglie uno e gli inventa le colpe. Io ho lavorato per Francesco; non aveva ufficio, tutto nel cervello. Entrava nella cabina a gettoni e da lì parlava anche per un'ora. Ci davamo appuntamento ad Harlem.»

– Perché ad Harlem?

«Per non farci notare.»

– E Mitri e La Motta, come andò? Avevate arrangiato la sceneggiatura?

«Non dire queste cose. Il giorno prima vidi Tiberio con la moglie su un prato; lei aveva voluto a tutti i costi andare a trovarlo e facevano l'amore. Non fa bene all'atleta.»

Gli chiesi perché tardavano tanto a restituirgli la licenza. «Dài che lo sai. Quando avevo il Piccolo Club, ti ricordi quel pianista napoletano? Adesso suona a Las Vegas, veniva a trovarmi un tenente della polizia e mi chiedeva quasi mezzo milione alla settimana per non aver noie e io gli dicevo di no, finché una notte si lasciò andare: italiano *bastard*, disse, *grease ball*, testa di brillantina, e anche *dago*, che è un insulto, lo dicono anche ai portoricani. Mi ero stufato e gli dissi: "Senti, ragazzo, aspetta che vadano via quei gentiluomini, poi metti la pistola sul tavolo, se non vuoi che finisca da qualche parte, ti togli la giacca, così sei più comodo e io, che sono un vecchietto, ti faccio vedere la luna come alla televisione".

«"D'accordo" mi disse il cretino. Siamo andati in cortile e l'ho lasciato tra i bidoni dell'immondizia.»

Il Grande Bambino raccontava le sue avventure senza abbellirle, con candore. Era leale e fedele, e non gli piaceva la violenza; non bisognava dirgli però «italiano bastardo» perché si arrabbiava. Diceva: «Faccio un po' di quattrini e poi mi imbarco. Perché non mi credi?».

Non si imbarcò. Sull'ascensore c'era una anziana coppia di americani. Attaccò discorso: «Loro di dove sono?».

«San Diego.»

«Bel posto. Ho un amico laggiù: conoscono Tiger Boy?»

Peccato. Non ne sapevano nulla.

Ho incontrato molti superstiti delle lotte, delle crudeltà e delle idiozie del XX secolo. Rispondono come quell'aristocratico scampato alla Rivoluzione francese: «Ho vissuto».

Forse l'ultima *polonaise* l'ho vista ballare in un film. Una storia angosciante, ambientata nella Varsavia del 1945. Per le strade circolavano i carri armati sovietici, la notte era senza silenzio: canti di ubriachi, raffiche di mitra, il fischio di un treno. La gente chiedeva al suono di una fisarmonica, a una bottiglia di vodka, qualcosa che aiutasse a dimenticare. «Si beveva molto, si cercava l'amore» mi disse il romanziere Jarosław Iwaszkiewicz.

Nella grande sala di un ristorante si ritrovano alcuni signori: nobili che conservano sul caminetto il ritratto del maresciallo Piłsudski, borghesi che non vorrebbero affogare. Indossano il frac, le donne portano attorno al collo un filo di perle.

È quasi l'alba; dalle finestre entra una luce grigia. Il pianista si è addormentato, la testa abbandonata sulla tastiera. Un allucinato gentiluomo in marsina lo invita a suonare ancora il vecchio ballo tradizionale dalle figure composte e cerimoniose. Inchini, fierezza.

Le prime note: avvolti in un sottile pulviscolo, fumo di sigarette, cenere che il vento solleva dalle macerie, i conti, i prìncipi e le loro dame danzano. Sembrano fantasmi, il chiarore della nuova giornata li farà scomparire. È il malinconico funerale di un mondo che tramonta, ma compostamente, con misura, come si addice a gente di una certa qualità, senza disperazione.

I prìncipi polacchi avevano lasciato i loro castelli, i casini di caccia, le residenze di campagna, i bei palazzi disegnati tanti anni fa da architetti italiani; si erano ritirati in due stanze, come aveva fatto il venerando Janusz Radziwill, e portando con sé le cristallerie, i tappeti, le porcellane, i mobili della famiglia, quelli che più suscitano ricordi, quelli che si possono conservare in poco spazio.

Ogni tanto, un piatto di Meissen, una figurina di

Sèvres finiva nella bottega di un antiquario gestita dallo Stato; i ragazzi che tra le colonne di finto marmo della Kongressowa ballavano il rock and roll, di questi oggetti non sapevano che farsene: erano memorie che appartenevano al tempo della *polonaise*.

Janusz Radziwill possedeva a Nieborów una grande casa, circondata da molte terre e da fitti boschi; a Varsavia abitava in un edificio dalle linee neoclassiche, con davanti un giardino molto curato; era, forse, uno dei più ricchi signori di Polonia.

Nei saloni dove riceveva, si radunava il Consiglio dei ministri; venivano festeggiate le delegazioni che arrivavano dai paesi dell'Oriente: indonesiani, cinesi, taciturni personaggi del Caucaso, piccole signore coreane che indossavano il costume nazionale, timide fanciulle indiane in sari, ufficiali dalle divise che si assomigliavano: variava soltanto la quantità delle decorazioni. Dalla balconata dove suonavano i violini scendeva adesso la musica troppo marziale di una banda.

Ma il principe Janusz Radziwill non dimostrava né rimpianti né rancori: anche se l'età si faceva sentire, non aveva smarrito l'antico decoro. Dalla sua poltrona assisteva a uno spettacolo che forse non capiva, ma sapeva che doveva accettare la sua parte. Aveva avuto il permesso di andare all'estero a trovare i parenti (era stato ricevuto anche in qualche corte), ma era tornato indietro. Questa era la sua patria, qui i figli e i nipoti vivevano e lavoravano, qui voleva riposare per sempre sotto il marmo, all'ombra dei salici come suo padre e il padre di suo padre, come tutti i capi dei Radziwill morti in pace o in guerra.

A molti fu concesso di andarsene con i libri, i

mobili, le sete, le argenterie, i quadri; ci fu addirittura chi, nelle confuse ore del '45, noleggiò un treno di venti vagoni per tentare una spedizione all'estero, ma alla frontiera il convoglio venne fermato e le cose rare furono esposte in una mostra e collocate poi nei musei. Altri chiesero di potersi sistemare, come dipendenti, nelle terre che erano state loro. Così il conte Karol Potocki era diventato guardiaboschi.

Non poteva allontanarsi dalle sue foreste, fin da bambino conosceva ogni sentiero fra le abetaie, le usanze delle anitre che si annidano fra le canne e fra le ninfee, nelle acque cupe e stagnanti delle paludi; sapeva quando il gallo cedrone vola fra le betulle o va cercare il cibo nelle valli. Ha passato la vita cacciando e occupandosi di cavalli; una volta il suo stile e il suo ardimento erano famosi.

Gli avevano detto di sì, e allora con le ultime economie si era comperato un baio da sella di buona razza e lo montava a pelo perché non poteva prendersi una sella come si deve; cavalcava anche nelle giornate nebbiose e quando le foglie sono lucide di brina, quando le zampe del baio affondavano nella neve o nella terra molle. Viveva da solo in una casa di legno; ogni tanto la moglie e il figlio andavano a trovarlo. I contadini lo rispettavano, capivano il dramma del vecchio signore prigioniero del suo mondo, dei suoi alberi, del fucile, della grande pianura.

Piovigginava. Novy Swiat era quasi deserta. I lampioni diffondevano una luce opaca. Il passo dei cavalli faceva venire in mente un altro tempo. Pensavo alla carrozzella di Madame Bovary o alle favolose notti dei signori di Varsavia: le loro slitte correvano sulla neve, i landò foravano la nebbia che stagna sulla Vistola. Davanti a una palazzina c'era un giardinetto con un pero fiorito: qui viveva un principe; ora era la sede del club dei giornalisti. Ho cenato nella sala dove si faceva musica.

Camminavo verso Stare Miasto, la città vecchia: era l'ultima sera. Una specie di congedo. Il vento portava gli irragionevoli sfoghi di un ubriaco, cartacce, odore di terra bagnata.

Hanno ricostruito un intero quartiere, questi matti polacchi, com'era una volta: le piccole case dai muri sbiaditi, i tetti grigi, le strade, le piazze che hanno l'aria dei nostri paesi; sono andato a cercare, con l'aiuto del Canaletto, quelle immagini che le cannonate tedesche avevano distrutto. «Grattacieli, dovevano fare» mi diceva un comunista italiano, che aveva un vivo senso pratico. Non ero d'accordo: i polacchi, in fondo, hanno cercato un mezzo per ritrovarsi. Stare Miasto era il passato.

Me ne andavo con un po' di malinconia. Avevo conosciuto persone e visto un paesaggio che portavo con me e che forse non avrei mai rivisto.

Passeggiavo e ritrovavo curiosi frammenti del viaggio. Cartoline della Polonia, direi. Ecco il signore che mi rivolse la parola in italiano davanti alla vetrina di un antiquario a Cracovia.

Osservavo le pistole dall'impugnatura d'argento, le lunghe spade che suggerivano il ricordo di duelli con i turchi in difesa della Croce, e i bei fucili con il sacchetto di pelle per la polvere: suonano i corni, comincia la caccia al gallo cedrone o ai caprioli.

Il signore mi chiese se me ne intendevo, aveva modi discreti. Purtroppo sono un incompetente, mi

piace la suggestione che si sprigiona dalle cose antiche, cerco di inventare la storia dei proprietari, chissà chi le ha adoperate, chi le ha vendute. Era avvocato e una volta possedeva una collezione di armi,
aveva girato mezza Europa in cerca di sciabole e di
schioppi. «È un lusso» disse «che non posso più per-
mettermi. Ho venduto tutto.» Il suo rammarico non
svelava alcuna acredine.

Andai a trovare Jarosław Iwaszkiewicz, il romanziere. Si avvicinava ai settant'anni, ma aveva l'aspetto sano di certi robusti personaggi di Gogol': rosei,
forti, dalle mani grandi. Molti lo consideravano il
maggior scrittore polacco, aveva certo un suo posto
nella letteratura internazionale.

Abitava in campagna e ogni mattina faceva un
lungo viaggio sul tram per raggiungere la redazione
della rivista dove lavorava. «È sul tram» diceva «che
trovo le idee per i miei racconti e imparo a capire
sempre meglio il prossimo.»

Era cresciuto in Ucraina, conosceva la lingua, il
cuore e la follia dei russi. Parlò della censura che era,
come ovunque, poco intelligente, di certe autorità
politiche che avrebbero voluto l'arte più impegnata,
e si capiva come: la grandezza dei metallurgici di Nó-
va Huta o dei membri delle cooperative agricole.

Parlò con allegra ironia, ma anche la sua critica
non svelava alcun risentimento. Mi raccontò di avere adottato, quindici anni prima, un bambino rimasto solo che era stato testimone della fucilazione dei
genitori sui binari di una ferrovia; il ragazzo che era
ormai un uomo, era sposato, sereno, solo quando
beveva gridava. Chissà quali pensieri lo ossessiona-
vano. «In tutti noi polacchi» disse Iwaszkiewicz «urla qualcosa.»

Ho conosciuto una sera, al bar del Bristol, l'attore Zbigniew Cybulski. Era l'interprete di uno splendido film di Wajda *Cenere e diamanti*: uno strano ragazzo, portava gli occhiali anche nella vita, indossava abiti senza pretese, sarebbe potuto essere uno di quei giovanotti che s'incontrano nei caffè intellettuali di Parigi o un allievo dell'Actor's Studio, a New York.

Era bravo, come Montgomery Clift o come Marlon Brando, rendeva benissimo la nevrotica eccitazione, gli abbandoni, la solitudine di molta gioventù.

Era figlio di quei giorni incerti: lavorava, beveva, non aveva orgoglio; se non era sul palcoscenico, o davanti ai riflettori, era al bar, in un angolo: bottiglie e sigarette. Un po' scontroso, sembrava dicesse: «Pensiamo a quest'ora, poi si vedrà».

Non sapeva che farsene dei complimenti o delle occhiate delle donne; era come Jean Gabin di *Alba tragica* o del *Porto delle nebbie*: una figura letteraria che nasceva da una disperazione collettiva e annunciava il fallimento di un mondo.

«Io non conto nulla,» mi diceva Cybulski «sono sentimenti, stati d'animo che si respirano, forse il regista mi ha detto di vivere.» Cybulski rappresentava anche se stesso. Morì sotto le ruote di un treno; troppa vodka.

Dicevo addio ai «Kaviarnia», i caffè di Cracovia dove gentiluomini vestiti di scuro e incredibili agghindate vecchine osservano senza passione ciò che accade intorno; dicevo addio alla dolce e triste terra polacca, paludi e foreste, paesi e antiche mura, ai voli delle colombe, delle allodole, delle cicogne, ai vapori che nascondono i boschi, alla primavera dai colori molto teneri, a questa gente che rispetto perché, in ogni occasione, sa dare sempre una prova di rara forza morale.

Alle 18.15, ora di Mosca, del giorno di Natale del 1991, in televisione ho visto ammainare la bandiera rossa che garriva, anche con l'aiuto di un ventilatore, sulla torre più alta del Cremlino. Saliva, lentamente, il vessillo tricolore della Repubblica russa.

«Si chiude un'epoca» dicevano i commentatori. Guardavo quella cerimonia e mi sentivo coinvolto con la memoria e con i sentimenti.

Ci sono luoghi e momenti che simbolizzano una nazione e il suo spirito: il Muro del Pianto a Gerusalemme, ad esempio, con i piccoli uomini neri e barbuti che pregano davanti ai secoli, il Rockfeller Center a New York, con l'albero natalizio e i pattinatori che si esibiscono sulle note di Strauss con l'ingenua felicità dei disegni di Norman Rockwell.

E poi il cambio della guardia davanti al Mausoleo di Lenin, mezzanotte, mentre nevica, e in alto, inquadrato dai riflettori, quel drappo vermiglio con la falce, il martello e la stella d'oro. Il drappo dietro al quale marciavano miliardi di illusi o di comandati, perché c'è sempre qualcuno che vuole imporre agli altri il suo modello di felicità. E anche ci credeva; ecco cosa disse Gagarin quando scese dalla capsula spaziale: «Ero sicuro che il Partito e il governo sarebbero stati pronti ad aiutarmi qualora mi fossi trovato in difficoltà. I miei ringraziamenti filiali a Nikita Sergeevič [Chruščëv] per la sua sollecitudine».

Gli striscioni della propaganda dicevano: «Il nostro è il secolo del comunismo».

Vidi Gagarin in un corridoio di albergo, a Tokio: usciva da una camera vicina alla mia. Piccolo, tarchiato, sorridente. Morì per un banale incidente aviatorio, dopo essere stato il primo uomo lanciato nello spazio, come nei romanzi di Verne.

Il suo rivale, l'americano Armstrong, non ebbe inconvenienti sulla navicella spaziale, ma batté la testa scivolando nel bagno.

Se lui aveva perlustrato il cielo, io ho conosciuto Sven Hedin, che con i suoi viaggi in Asia era stato il più grande esploratore di quel continente.

Dopo Marco Polo fu il primo bianco a penetrare nella capitale proibita del Tibet.

A cavallo, su un purosangue regalatogli dallo Scià, percorse la Persia e, in slitta, gran parte della Siberia; attraversò in carovana lo spaventoso deserto del Gobi, valicò otto volte la catena dell'Himalaya, individuando le sorgenti dell'Indo e del Bramaputra.

Andai a trovarlo a Stoccolma quando era ormai alla fine dell'esistenza.

Nel 1905 aveva assistito alla prima rivoluzione russa ed era diventato un fanatico dello zar Nicola II, poi la sua esaltazione si era trasferita alla Germania guglielmina e infine a quella di Hitler. Credeva di essere stato lui a salvare la neutralità della Svezia, ma i suoi compatrioti non lo perdonarono mai. «L'opinione della mia patria» mi disse con tristezza «è contro di me.»

«Hitler» diceva «era un genio dalla volontà fortissima», Göring, «molto coraggioso e flemmatico», e gli piaceva «la simpatica e aperta personalità di Goebbels», mentre Himmler non aveva, come i più

ritenevano, «un volto diabolico, ma classici lineamenti greci e romani».

La Scandinavia fu il mio primo servizio da inviato all'estero. Ritrovai un mio vecchio compagno di
scuola, Giancarlo Busoli, che mi fu molto utile, e conobbi un giovane studente torinese, Mino Oreglia,
che credo abbia avuto una certa parte, con le sue
traduzioni, nei Nobel assegnati a poeti italiani.

Sentivo molti richiami, anche quello delle donne: volevo controllare non solo l'attendibilità delle
prediche sul migliore dei socialismi possibili realizzato dai più aperti dei capitalisti esistenti, ma se esistevano davvero fanciulle libere e meravigliose, irro-
bustite dalla ginnastica e dalle vitamine, senza pregiudizi e senza niente addosso.

E ancora rivivere certe leggende: le fiere donne
di Ibsen, i prodigi del fondista Nurmi, che vinse sei
titoli alle Olimpiadi e poi aprì un negozio di merce-
rie a Helsinki, e magari il filosofo delle dottrine esi-
stenzialiste, Søren Kierkegaard, che sul pessimismo
recita una frase definitiva: «Il destino di questa vita
è di essere condotta al più alto grado del disgusto di
vivere».

A Copenaghen andai a far visita a Carl Theodor
Dreyer, mito di una giovinezza trascorsa al Cine-
club. Non sapevo della sua tormentata infanzia di
trovatello. Era stato adottato e si era inventato un
nome e una storia.

Era un uomo dai modi gentilissimi; ti colpivano
gli occhi di un azzurro intenso, i capelli biondo-gri-
gi, la modestia.

Chiacchierammo di tante cose, senza cercare un
filo conduttore. Mi raccontò del figlio che faceva il
giornalista a New York, mi disse che anche lui era

stato cronista: «È un mestiere che ti aiuta a scoprire la realtà», aveva visto *Paisà* e *Sciuscià* e preferiva Rossellini: «Quello che conta» disse «è il conflitto di anime, le vicende umane».

Mi confidò un suo progetto: «Voglio fare un film su Cristo, da girare in Palestina e gli attori devono essere ebrei. La Palestina occupata dai romani come la Danimarca sotto i tedeschi. I sadducei sono i collaborazionisti, gli zeloti la Resistenza. I romani dovevano uccidere Cristo perché si proclamava re dei giudei. E Pilato non stimava gli ebrei perché non li conosceva: c'è un abisso tra quelle due concezioni del mondo».

A Stoccolma passai una sera a casa di Gustav Molander, il regista che era stato l'inventore di Ingrid Bergman. L'aveva lanciata in *Intermezzo*, dopo averla scoperta tra le allieve del Teatro Reale. La stimava anche come persona: «È severa anche con se stessa» disse. Poi mi raccontò di Greta Garbo: «L'ho vista in un film, ma faceva una particina. Poi diventò "La divina"».

Sono stato testimone di molti tormenti dell'Europa e anche di altri posti: Mogadiscio, come abbiamo visto. Ho trascorso otto giorni in Irlanda. La sola lettura era l'*Irish Indipendent*, il quotidiano più diffuso. Ogni mattina, una mano sconosciuta lo infilava sotto la porta della mia stanza. Una giornata stava per cominciare e non si immagina il *breakfast* senza le aringhe affumicate, il burro salato, le uova e la pancetta, il tè bollente e le notizie di quanto è accaduto nel piccolo mondo che ti circonda. L'Irlanda è un'isola anche per questo: non presta molta attenzione a ciò che avviene oltre il suo mare.

L'*Irish Indipendent* è capace di «aprire» a tutta pagina con un articolo che prende in giro i meteorologi per le errate previsioni sull'inverno appena trascorso: no, non è stato il più gelido di questo secolo, e l'occhio dei suoi redattori è fisso, giustamente, sulle vicende di casa – il prezzo del carbone che aumenta o le confessioni delle ragazze del marciapiede che raccontano esperienze di vita, rancori familiari, cinici incontri, e ammettono anche inauditi guadagni.

Perché le abitudini di questa gente sono parsimoniose, e un buon pasto può essere una fetta di prosciutto fumante, una zuppa di piselli, pane nero, un pezzo di torta di mele e una pinta di birra scura, e i vestiti non hanno pretese: maglioni di lana bianca che pizzica, pantaloni di fustagno, berretta di pezza, e le donne hanno capelli e facce rosse, abiti colorati e scarse raffinatezze.

Paiono disegnati dal vento, che tira di continuo, e li abitua a reggersi diritti, un vento che arriva dall'Atlantico e piega i rami degli alberi, e rende lucido il pelo degli animali: le vacche fulve delle terre di Galway, le pecore gonfie dei pascoli di Mohair, i cavalli eleganti che galoppano liberi sui prati cosparsi di brina.

E ogni giorno il mio onesto giornale irlandese mi narrava un capitolo della inesorabile trama che aveva per protagonista Bobby Sands, chiuso nel carcere di Maze, blocco H, che voleva lasciarsi morire di fame, e un vecchio mi fermò sul marciapiede e mi domandò un'offerta per i prigionieri, e io deposi il mio denaro in un bussolotto di latta. Alle sue spalle c'era uno stendardo svolazzante che parlava di libertà; in certi momenti posso seguire anche il suono di uno zufolo.

E così Bobby Sands era diventato per me un nome familiare, e conoscevo il volto disperato e fiero di sua sorella, e quelli cupi dei suoi amici, e sapevo ciò che volevano e ciò che avevano fatto: in una decina di anni e nelle strade sconvolte di Londonderry o di Belfast c'erano stati più di 2000 morti, dilaniati dalle bombe, o falciati dai mitra, e tutti, britannici e irlandesi, cattolici e protestanti, nella stessa maniera.

Il mestiere mi ha portato più volte nell'Ulster e ho dormito in camere che avevano nei soffitti ancora i segni delle schegge, e nella notte suonava l'allarme e bisognava correre fuori, e ho assistito a veglie funebri. Come si fa a scordare quei preti che sembravano saltar fuori dai tristi racconti di Joyce, e i canti accompagnati dalle fisarmoniche, e le coroncine di primule sulle maniglie d'ottone delle belle porte dalle tinte sgargianti in segno di lutto, e le sbornie consolatrici.

E conobbi anche, dopo misteriosi appuntamenti, il capo dell'IRA, l'esercito di liberazione, non più di 300, dicevano, o 400 soldati; era un bell'uomo dall'aspetto composto, sorridente, come chi sa bene i rischi che corre, ed è consapevole che nessuno può salvarti. Voleva riunirsi a quelli dell'altra parte per fare insieme una Repubblica socialista, voleva che le truppe di Elisabetta, più di 11.000 militari, più gli ausiliari dell'Ulster Defence Regiment, i più odiati, più 7000 poliziotti, addestrati alla lotta al terrorismo, se ne tornassero a Londra.

È dalla Pasqua del 1916, pensate un po', che questi disperati vogliono costringere l'Inghilterra a ritirarsi e non badano ai mezzi per combattere. Hanno assassinato Lord Mountbatten, il cugino della regina, accoppano senza pietà guardie carcerarie e «informatori».

Ricordate quell'antico film di John Ford, *The Informer*, con Victor McLaglen, che ricostruiva la cronaca di un tradimento? C'è ancora nell'aria il senso di quelle nebbie, l'odore di malto che si sprigiona dai legni neri dei *pubs*, di patate e di pesci fritti, il suono dell'organo che esce dai portoni delle chiese, sempre gremite di fedeli, e ancora si discute di quei giovani fotografati con gli impermeabili bianchi nei manifesti della Police: sono criminali o idealisti, patrioti o assassini? L'*Irish Indipendent* sa come stanno le cose, e lo sanno anche quelli che, sui muri, tracciano il nome dell'IRA.

Davanti ai caminetti dove brucia la torba, nelle osterie dove – nelle ore concesse – servono un whiski profumato, nei ritrovi dei pescatori e dei contadini, lettori silenziosi scorrevano le colonne di piombo che riferivano delle ultime ore di Bobby Sands, che stava per diventare un martire della loro causa. Sapevano che, oltre il confine, il 60 per cento degli abitanti erano devoti alla causa «orangista», a Buckingham Palace e odiavano i «papisti», ma anche la storia non conosce la parola «mai». Hanno innalzato nelle piazze monumenti ai Parnell e agli O'Connell, quegli eroi demagogici e romantici che seppero creare il futuro.

Il loro motto era «Sinn Fein», che vuol dire: «Noi soli». È la loro condizione umana: abitazioni con tetti di paglia sparsi nella campagna infinita, su rocce lontane, su sponde di laghi malinconici e nascosti dalle canne, ed è anche un'aspirazione politica. Gli basta poco per vivere, perché li accompagna sempre il senso della dura fatica e la memoria della carestia. Soli con Dio e con se stessi. Come si fa a non amarli?

Sono veri molti luoghi comuni, ma forse bisogna chiarire le idee. La guerriglia devastava le sei contee del Nord, che si chiamano Ulster, e fanno parte del Regno Unito. È la regione industriale; Belfast la città più importante.

La lotta fra cattolici e protestanti: i diseredati contro i ricchi. Sua Maestà la regina disponeva di 20.000 armati; i ribelli, della disperazione. Le strade erano segnate dai posti di guardia, dal filo spinato, dalle macerie. Non si entrava all'albergo, o al grande magazzino, senza essere perquisiti. Giovanotti mascherati alzavano le barricate. Popolazione: un milione e qualcosa.

Poi c'è l'altra, la Repubblica dell'Eire: tre milioni e passa di abitanti. Vivono per quasi la metà di agricoltura. La loro sterlina vale meno di quella britannica. Sulle monete c'è un'arpa: il simbolo del Paese; sul verso, un levriero, un puledro, un salmone. Una sintesi della loro vita.

Il verde di questa Irlanda comincia sui Boeing di Aer Lingus: hanno come stemma un trifoglio. Poi invade i campi, le siepi di biancospino, sulle quali sventolano fiocchi di lana, si specchia negli occhi delle ragazze o nell'acqua ferma dei laghi.

Certe immagini arcaiche resistono. Gli sposi vanno a fare la spesa, alla bottega del villaggio, su quelle buffe carrozzelle che si vedono nei film di Ford: ricordate *Un uomo tranquillo*? I contadini e i pastori portano il berretto a visiera; sono ancora gremiti i vecchi *pubs*, le osterie che frequentava anche James Joyce: hanno spesso insegne di legno nero e scritte a caratteri d'oro. Potete andare a mangiare al Bayley, come Leopold Bloom, l'eroe dell'*Ulisse* di Joyce: è rimasto lo stile vittoriano, hanno murato, quasi un trofeo, la porta del numero 7 dello stabile di Eccles Street, oggi demolito, che fu la casa dello scrittore, e servono sogliole e rombi luccicanti, gelati alla crema di menta e soufflés di fragole, accompagnati da birra e da caffè forte.

Questa terra era, una volta, il limite del mondo conosciuto: è da Galway che partì, verso l'ignoto, Cristoforo Colombo. È rimasta, per lungo tempo, fuori dall'Europa, vittima dell'oppressione e chiusa in se stessa.

Il proprietario di campi più duro che si conosca si chiamava Charles Boycott ed era di queste parti: e i suoi braccianti lo piantarono in asso, appunto boicottandolo.

Gli inglesi li disprezzavano. Perfino Wellington, che era di quaggiù, si vergognava delle sue origini: «Nascere in una stalla» diceva «non significa essere un cavallo».

Non potevano neppure nominare la patria, c'è una ballata, *Roysin Dubh* («La bruna Rosina») che è il nome dietro il quale nascondevano la loro passione.

Le vetrine dei negozi espongono sciarpe, maglioni, coperte, pizzi di Limerick, tovaglie di lino ricamate, pezze di tweed, begli argenti ed eleganti cristallerie; chiunque incontriate, sulle sponde di un fiume o sul sentiero di un bosco, riceverete un saluto. Perché sono riservati e gentili.

Il passato, credo, li ha resi diffidenti, un po' sulla natura umana, un po' sugli affari pubblici. Oscar Wilde diceva: «A qualunque cosa posso resistere, tranne che alle tentazioni», e George Bernard

Shaw: «Tizio non sa nulla e crede di sapere tutto; potrebbe avere molto successo in politica»; e il terribile Jonathan Swift, quello dei *Viaggi di Gulliver*: «I partiti sono formati dall'imbecillità di molti per il guadagno di pochi».

Tre irlandesi un po' eccentrici e paradossali, ma anche i loro compatrioti meno celebri si considerano fra i più spiritosi. Hanno buone ragioni.

La loro esistenza è come condizionata dal ricordo angoscioso della *Great Famine*, la grande carestia che, nel 1845, si portò via quasi un milione di cristiani, e altrettanti, e anche più, furono costretti ad andarsene. Un bruco maledetto distrusse il raccolto delle patate e fu una catastrofe senza rimedio. Morivano di inedia e venivano sepolti nelle fosse comuni. La Gran Bretagna non seppe o non volle fare nulla, e li abbandonò al loro destino.

«Anche adesso» mi raccontava un'amica «molti di noi, anche se non vanno a fare una gita, portano con sé un pacchetto con un po' di cibo: non per il picnic, ma per la memoria, tramandata, di quell'antico flagello.»

La religione è la loro regola. La parrocchia, come il bar, è un luogo d'incontro. Oltre il 90 per cento dei battezzati va alla messa domenicale, le vocazioni sono in aumento, non c'è crisi della famiglia. Il divorzio non è legale, il matrimonio non è un fatto romantico, ma assai spesso economico. Ci si unisce sovente in età avanzata. L'adulterio non è reato e se la moglie non è vergine – mi spiegò frate Cooney – la faccenda è meno grave che una volta. I preti vengono dal popolo ed era frequente, quando la prole era numerosa, che un figlio andasse in seminario e una ragazza a farsi monaca.

La Chiesa è stata una forza di opposizione nei giorni bui del colonialismo britannico.

Il problema più grave è l'alcolismo, non la droga. Non c'è neppure un comunista in Parlamento. Fra gli studenti universitari, il 76 per cento era assiduo alle lezioni. Il femminismo aveva scarso seguito: si accontentavano dei ruoli consacrati: moglie, madre, cucina, orto. La fede è un sentimento nazionale.

Andai a trovare al Trinity Collage mister Brendan Kennelly, poeta e professore di letteratura anglo-irlandese. Era una persona dall'aria aperta e franca, un conversatore piacevole e aveva ben poco di accademico: abiti disinvolti, camicia aperta, volto rubicondo, linguaggio per niente paludato. Buon narratore, buon bevitore. Gli piaceva parlare del lavoro, ma non farlo. L'azione è una bestemmia.

Le donne invece sono delle eroine: tengono unita la famiglia, mentre gli uomini se ne vanno. Rappresentano l'amore dell'ordine nella società. Nell'*Ulisse*, Molly Bloom dice che i maschi sono necessari sessualmente ma sono soltanto bambini cresciuti che hanno portato il mondo alla distruzione e tocca alle loro compagne salvarlo. Si chiede sempre Molly Bloom: «Dov'è la loro intelligenza? Le femmine sanno dove fermarsi, tanto a letto come in battaglia».

l'Irlanda è un bell'argomento da raccontare: è piena di trame, c'è molta tragedia e molta farsa. È una società drammatica ma non è piatta, né meccanica: è umana e diffida delle astrazioni. Ma gli irlandesi guardano con sospetto alla cultura: lasciano l'università alla classe media. «Mi piacerebbe» diceva Kennelly «che fosse aperta a quelli che hanno interesse a studiare, non a quelli che hanno soldi.»

Dissi: – Ha scritto John Steinbeck: si dice che gli irlandesi sono soddisfatti e gai. È vero?

«Certo. Gli irlandesi trattano le parole come un'avventura, e per questo sono interessanti: ogni parola è un mondo; gli inglesi sono molto corretti, sofisticati, misurati; la lingua, per loro, è un mezzo. L'inglese è il prodotto di una civiltà che non è stata mai umiliata dalla conquista, l'irlandese è figlio di una esperienza che è piena di avvilimenti. L'irlandese è gonfio di complessi, mentre per l'inglese è tutto facile: sa che è il più grande dell'universo, ma l'irlandese lo mette in dubbio. L'irlandese è benedetto dal suo senso di inferiorità, l'inglese è sovraccarico del suo sentimento di superiorità. Gli inglesi sono politici, noi poeti.»

La pagina che più conta nella loro vicenda, quella che ha più influenzato la loro coscienza, mi confermò, è la fame di più di un secolo fa, che è sempre presente.

Diceva infatti Joyce: «La storia è un incubo da cui cerco di svegliarmi». La rivoluzione del 1916 è un gesto senza speranza che vince: un pugno di sognatori contro un impero.

«C'è la tentazione» diceva Kennelly «di biasimare gli inglesi per tutti i nostri mali, ma abbiamo la nostra debolezza. Vogliamo i beni del materialismo, ma senza far fatica. Sciupiamo molto talento perché non abbiamo fiducia. Bisogna cambiare sistema di educazione e molte responsabilità le ha la Chiesa, che è senza intellettuali.»

Gli chiesi perché Joyce non era più voluto ritornare, ma Kennelly diceva che non aveva mai lasciato l'Irlanda con la mente, e se l'era portata dietro.

«È vero,» spiegava «voleva creare una coscienza,

perché il nostro clero non ha sviluppato un senso etico. La sua opera non è stata conosciuta fino agli anni Cinquanta. L'Irlanda non è divisa solo fra Nord e Sud, ma anche fra campagna e città, e ci sono altre differenze che non si vedono. Pensano che James Joyce è uno stravagante, lo considerano un po' folle: ma Joyce è Dublino, e Dublino è Joyce: lui l'ha inventata. Ne ha ascoltato il cuore, ne ha scoperto il mistero, gli odori, le facce. È per Dublino quello che Baudelaire è per Parigi.»

Come sono, in definitiva, questi O'Donovan, questi O'Grady, O'Casey?

«Molto arguti, inquieti. Per loro conta solo l'oggi, non gli importa di ieri e di domani. Il loro temperamento è come il clima: sole, pioggia, vento, e tutto all'improvviso. I loro guai sono noti a tutti: hanno mille anni. Qualcosa sta cambiando nei giovani: svanisce la paura della sensualità e sono contro un certo cattolicesimo. Non dipendono più dall'emigrazione, come prima. Bisogna che la cultura arrivi a tutti, e questo la classe media non lo vuole. Bisogna riconoscere i pregiudizi e distruggerli.»

– Brendan Kennelly, – domando – che cos'è per voi il mare, che cos'è l'infinita pianura?

Mi recita una poesia del IX secolo, che dice pressappoco: «C'è un vento malizioso, questa sera, un selvaggio tumulto nel mare, e nessuna paura che i vichinghi ci terrorizzino; io posso dormire tranquillo». In altri posti l'oceano è un nemico, qui una sentinella.

Sono anche stato nei luoghi segnati dalla storia, dove molti drammi sono cominciati o si sono conclusi. A Sarajevo, ad esempio, conobbi una ragazza che studiava filosofia e mi disse: «È una città circondata dagli spiriti». Tutto cominciò nell'estate del 1914: e l'incantesimo di un'epoca definita «bella» si ruppe.

Sono andato a vedere quell'angolo fatale, il posto dove Gavrilo Princip aspettava con una Browning per cambiare il destino del mondo.

Era una domenica torrida e sonnolenta, e sette giovani – un falegname, un tipografo, uno strillone e quattro studenti –, con pistole ed esplosivo, si erano preparati, pronti per togliere di mezzo l'arciduca Francesco Ferdinando e la moglie Sophia. Appartenevano all'associazione Narodna Obrana.

Gavrilo Princip attendeva in una birreria. Arrivò l'auto scoperta: Sophia indossava un abito bianco con una fascia rossa adorna di fiori, il granduca era in divisa di generale di cavalleria. Lei fu colpita all'addome, lui alla gola. Ma disse: «Sophia, non morire. Vivi per i nostri figli».

Lunedì 29 giugno 1914, in una corrispondenza da Vienna il *Corriere della Sera*, prezzo centesimi 5, riferisce che il vecchio e rigido imperatore Francesco Giuseppe, sconvolto, all'aiutante di campo che lo informa del delitto confida: «È orribile, è orribile. Non mi è risparmiato nulla». Il Santo Padre, fa sapere un dispaccio, profondamente commosso invia le sue condoglianze.

Sul marciapiede, come un monumento, avevano conservato le impronte delle scarpe del terrorista Gavrilo che aveva ucciso un simbolo del potere e anche un secolo; adesso le hanno scalpellate e portate chissà dove. Solo per i cetnici è ancora un eroe.

Sulla riva del fiume Miljacka sono passati nel tempo tanti destini: i cortei dei turchi, sui piccoli cavalli, che rapivano dai villaggi i bambini cristiani per portarli a Istanbul e li facevano diventare cittadini dell'Oriente. I piccoli impauriti mangiavano e piangevano, le madri li seguivano per un po', poi le barche si allontanavano per sempre.

Gli ottomani punivano i nemici impalandoli, bastava un ramo di quercia appuntito con la cima di ferro battuto, unta con il sego. Una lenta agonia in piazza, con la folla a guardare.

Più tardi arrivarono i tedeschi e fucilarono, incendiarono, deportarono. Poi i cetnici e gli ustascia cantavano «Aguzzate i vostri coltelli», gettavano i prigionieri nel fiume Drina, su un ponte furono trovate, una mattina d'inverno, stalattiti di sangue gelato.

Arrivarono i partigiani del maresciallo Tito, e ancora la strada principale porta il suo nome, e Josip Broz impose la sua legge e li costrinse a stare insieme, gli ordinò di andare d'accordo. Basta con le etnie, tutti comunisti iugoslavi.

E ancora le vendette, i campi di concentramento, tutti contro tutti: donne violentate, teste tagliate, bambini affamati.

Vicino allo Stadio Olimpico c'è un enorme cimitero: le croci dei cristiani, le colonne sepolcrali di legno degli islamici. Qualcuno ha messo nella bara una bottiglietta con un cartiglio: con il freddo le steli possono essere usate come combustibile, si sappia almeno chi era il defunto.

«Morti perché?» si chiedono in tanti. E un prete ha risposto, forse citando uno scrittore: «È il laboratorio perfetto di Dio». Quanti nomi: Ilinka, Branko, Nikola, Krsto, Jovanka, quante k, e attorno ad alcuni pioppi il volo assordante di cornacchie impazzite.

Lejla aveva tredici anni e Vuk, che vuol dire «lupo», un piccolo lupo, soltanto otto. Un padre e una madre arrivano tirando un carretto. È carico di recipienti pieni d'acqua e di arnesi da giardino. Lui si chiamava Igor: poco più di un ragazzo, la sua tomba è la sola coperta da un'erba sottile, quasi luminosa; la madre lava la lapide e la bacia, l'uomo aggiusta alcune rose di plastica. Sul sonno eterno dei caduti e delle vittime vigila un leone di pietra che le schegge hanno sfigurato.

Ogni tanto qualche raffica di mitragliatrice, un rombo molto lontano, un cane impaurito che abbaia, e chissà che cosa pensano nelle case raccolte attorno ai minareti o ai campanili, dove migliaia di creature hanno dimenticato la speranza: non hanno rimpianti per il passato né timori per l'avvenire; solo l'angoscia del presente. Nell'afa e nel buio cercano di indovinare dal sibilo dove cadrà la granata. Domani non è un altro giorno: è sempre lo stesso, perché pare che nulla possa cambiare.

E ho fatto tanti viaggi nel dolore. A Budapest andai a trovare il direttore delle carceri. Era un signore sui quaranta, molto cortese. Mi ascoltò attentamente e mi offrì il caffè. Gli chiesi il permesso di fotografare i detenuti che venivano liberati per l'amnistia.

Mi spiegò che la faccenda era poco interessante e io ero soltanto autorizzato a riprendere scene della vita ungherese. Gli risposi che anche quella storia lo era. Arrivammo a un compromesso: dovevo lasciar fuori l'edificio del penitenziario.

Ricordo che davanti al calamaio aveva una graziosa porcellana: riproduceva una guardia che teneva al guinzaglio un grosso cane lupo affannato a fiutare le tracce dei controrivoluzionari.

La prigione di Gyüjtö era alla periferia della città circondata da fabbriche e da un grande cimitero. I tram portavano sui respingenti ghirlande di primule.

C'era una piccola folla; e anche poliziotti in divisa e in borghese: una zingara dai lunghi capelli neri, una anziana signora con gli occhiali dalle spesse lenti, una vecchietta con lo scialle; mi mostrò un braccio, c'era scritto un numero: 4004. Era stata a Dachau, a Buchenwald e ad Auschwitz, dove erano rimasti il marito e due suoi figlioli. Il terzo, nel 1956, era finito dietro quelle sbarre. L'anziana signora con gli occhiali non diceva nulla; sorrideva mestamente. Ogni volta che aprivano il cancello impallidiva.

Cominciarono a uscire i prigionieri: ho in mente un signore dai capelli grigi, molto alto; un poliziotto disse che era un generale del tempo di Horty, un esponente dell'Ungheria reazionaria. Entrò in una cabina del telefono e fece un numero. La vecchina con lo scialle lo attese. Il generale scosse la testa, poi andò verso le bancarelle e comperò un mazzo di violette.

Si sentì un urlo: «Gyuri, Gyuri», e l'anziana signora con gli occhiali corse incontro a un giovanotto e lo abbracciò singhiozzando. Era stato condannato a morte perché nell'autunno del 1956 aveva sparato dalle barricate, poi la pena era stata ridotta a quindici anni, poi libero. Era poco più di un ragazzo e aveva qualche capello bianco.

Parlai con lo scrittore Jozsef Lengyel: un vecchio, più di sedici anni passati nel Gulag di Stalin.

Volle subito precisare: «Comunista ero, comunista sono e comunista resto».

Era un ometto dall'aria assorta, gli occhi malinconici. Stava con Béla Kun, nel 1919, e fu tra i fondatori del Partito. Poi scappò a Berlino. Un giovane Bertolt Brecht cantava nelle osterie di Monaco versi contro la guerra. Grosz disegnava sgualdrine opulente, ex ufficiali del Kaiser con le teste rasate e il monocolo, capitalisti carichi di anelli e di voglie, crocifissi con la maschera antigas.

Marlene Dietrich travolgeva, con le gambe favolose, riservati professori del ginnasio, Il'ja Erenburg scriveva i primi romanzi. Lengyel faceva il giornalista e se la cavava, ma il compagno Béla Kun lo chiamò a Mosca e così cominciò la sua avventura. Che pareva non avesse lasciato un segno nel suo cuore; diceva un personaggio di Molnár, Juli, una servetta: «Si può essere picchiati e non sentire dolore».

Lengyel non spiegava le ragioni del suo arresto: le stesse che portarono Béla Kun, e gli altri grandi comunisti, davanti ai fucili dei plotoni d'esecuzione. Stalin li accusava di tradimento.

Nella cella dove lo rinchiudono, prima di deportarlo in Siberia, ci sono 25 letti di ferro per 275 prigionieri. Il viaggio verso il campo dura molti mesi. La maggiore occupazione dei detenuti è seppellire i morti. La terra è dura come la pietra. Il termometro segna 45 gradi sotto zero, occorrono due giorni per scavare una fossa e bisogna alimentare di continuo i fuochi. I carri scaricano senza sosta cadaveri e i morti indossano solo una leggera camicia. «Sulle gambe sottili come pali» raccontava

Lengyel «è legata con uno spago una tavoletta di legno, come quelle che i magazzinieri attaccano alle chiavi per sapere quale porta aprono. C'è scritto sopra, con la matita copiativa, il nome del defunto e il numero della sua pratica.»

Molti prigionieri hanno le mani e i piedi congelati, gli invalidi ricevono una razione ridotta. Per un pezzo di pane scoppiano risse selvagge, chi è sorpreso a rubare viene picchiato a sangue dai compagni e le guardie lasciano fare. È la legge del campo.

Lessi due pagine di un diario. Le aveva scritte un semplice impiegato di municipio; nell'epoca di Rákosi era stato deportato con la famiglia, la moglie e due ragazzi. Era accusato di aver servito il regime di Horthy.

«Ci hanno condotti in una casa isolata, nella grande pianura. Dai tetti piove. Con i fiorini che riceviamo possiamo acquistare appena il pane. Quando il sole tramonta ci corichiamo, così la fame si sente meno. I bambini non si lamentano, non chiedono mai nulla. Non sappiamo con che cosa accendere il fuoco. Lo sterco di vacca seccato può servire, ma il pastore non vuole che lo raccogliamo all'abbeveratoio se non gli paghiamo cinque fiorini. Così facciamo lunghe passeggiate per raccogliere il letame.

«Oggi ricorre il dodicesimo anniversario del nostro matrimonio. I bambini sono andati per i campi e sono tornati con un mazzetto di fiori per la mamma. Hanno recitato anche una poesia. Io ho scovato nella valigia un tubetto di crema per le mani per metà consumato. È stato il mio dono a Eva. Eva era contenta, mi è sembrata molto bella.»

Gli ungheresi hanno il senso dell'umorismo. Anche quando le cose vanno male riescono a sorridere. Sparavano i cannoni russi e la gente immaginava quali crudeli e impossibili «annunci economici» avrebbero potuto pubblicare i giornali.

«Venite a Budapest, la città dei bagni. Di sangue.» Oppure: «Il maresciallo sovietico Grebennyik divide il vostro appartamento», Grebennyik fece sparare i cannoni. E ancora: «Abbiamo avuto torto. Volevamo interferire nei nostri affari».

Dicevano che una volta Kádár, il capo, andò a visitare un ritrovo proletario e trovò un bimbo che stava giocando con tre gattini nati da poco: «Questo, compagno Kádár,» disse il bambino «è un gatto comunista, e anche questo. Questo nero invece no». «Perché?» domandò Kádár incuriosito. «Perché ha già aperto gli occhi.»

C'era una canzone che diceva: «Domenica, triste domenica: io sono solo e il rubinetto sgocciola». Stavo a Berlino, in un giorno di festa, quando la capitale era divisa dal Muro. Decisi di andare «dall'altra parte». Il tempo era incerto, ogni tanto uno scroscio di pioggia. Scesi alla Friedrichstrasse, dieci minuti di treno.

Sulla Sprea passavano barconi carichi di sabbia o di carbone. Qualche pescatore buttava la lenza nell'acqua cupa; sotto un ponte della ferrovia faceva la guardia, con il mitra a tracolla, un milite della Volkspolizei. Pareva un giorno di novembre, l'aria aveva i tremori dell'autunno, le vetrine dei negozi quasi vuote erano ancor più malinconiche. «La mia bottega è chiusa il mercoledì» avvertiva un cartello e l'insegna diceva che il proprietario, non ancora collettivizzato, tagliava barba e capelli dal 1908.

Camminavo dalle parti della Akademie Platz, le erbacce crescevano sulle gradinate del teatro di Federico, fumo e stagioni avevano annerito gli antichi muri; brillava appena, tra fregi dorici, l'oro di qualche parola sconvolta dalle bombe.

L'autista del taxi indossava un cappotto di pelle nera e aveva la nuca tonda e rosea. «Una testa tedesca» pensavo. Chiacchierava volentieri, rideva con facilità. «Per me Hitler è vivo» spiegava. «Ogni volta che arrestano qualche pezzo grosso del partito, gli trovano in tasca una decina di passaporti. Il furbacchione ne avrà avuti almeno quaranta.»

Passavamo davanti a case dai tetti acuti, a silenziose villette nascoste dagli abeti. «Niente male, è vero?» diceva. «Appartenevano a camerati di Himmler e di Goebbels; adesso ci stanno gli americani.»

Il «Waldfriedhof», il cimitero del bosco, è vicino allo Stadio Olimpia. Qui il negro Jesse Owens corse, provocando l'ira del Führer, i cento metri in poco più di dieci secondi, e Leni Riefenstahl esaltò, con la macchina da presa, il culto della bellezza pagana. Non cercavo parenti, no.

«Vorrei vedere» dissi «la tomba di George Grosz.» Il cimitero era invaso dal sole; qualche merlo fischiava sui rami spogli dei faggi, fra le siepi di sempreverde. I becchini fumavano seduti su un sarcofago che raccoglieva le ossa di un compianto ingegner Müller. «Come si chiamava il ragazzo?» domandò l'autista. «Grosz, George Grosz.» Andò a chiedere informazioni.

«Voglio morire in Germania» aveva detto, lasciando per sempre, e dopo tanti anni di esilio New

York. Era tornato a Berlino per ritrovare se stesso. Non aveva saputo resistere alla nostalgia: «È bello essere qui» disse arrivando. «C'è abbondanza di tempo».

Tante cose erano accadute dal 1932, da quando se n'era andato. Ma non era per niente mutata la sua fiducia nel destino dell'uomo: «Penso che la guerra non sia mai finita» scriveva; e poi: «La scienza ci ha dato il cuore artificiale, la televisione e ha persino spaccato l'atomo. Ma questo è tutto. Il demone rimane ancora».

Forse, alla disperazione, era subentrata una rassegnata tristezza: non disegnava più interni di case, dove si vedeva a un piano un impiccato, sotto un uomo e una donna che si baciavano, più sotto due individui che litigavano furiosamente; disegnava bambini dai lineamenti gentili, nudi di fanciulle in fiore, ripensava alle immagini dell'adolescenza: uno stagno verde di ninfee, il blu delle susine coperte di rugiada.

E pensavo al destino degli altri oppositori. A Kurt Tucholsky, lo scrittore satirico, le cui opere – che ridicolizzavano i vizi, gli ideali disumani e la prepotenza tedesca – hanno raggiunto nella Germania di oggi milioni di copie. Kurt Tucholsky era amico di Kafka e di Grosz; è morto suicida in Svezia, dove era andato a rifugiarsi. «Ora è come essere incollato alla sabbia, la macchina non si muove più, non vuole più...» sono le sue ultime parole. La madre, ebrea, scomparve ad Auschwitz.

Pensavo a Bertolt Brecht, che da Tucholsky non era amato. Ne stimava l'ingegno, ma lo definiva un gangster perché Brecht non si faceva molti scrupoli di prendere le trame e le idee che gli piacevano, ovunque le trovasse.

Volli andare a trovare la vedova Helene Weigel, volevo vedere la casa dove Brecht ha concluso la sua esistenza. Presi la ferrovia sopraelevata, quella che porta alla Berlino orientale. Parlai con Helli, come la chiamano i compagni di lavoro, nella mensa un po' squallida del Berliner Ensemble. La vedova Brecht aveva appena terminato di provare; l'avevo vista in palcoscenico mentre recitava le battute di una commedia che si svolgeva nei capannoni di una fabbrica; i dialoghi avevano un tono edificante e «costruttivo», il suo personaggio ricordava un po' la stoltezza del soldato Schweyk e la fierezza di Madre Coraggio.

La signora Weigel era una grande attrice e una magra, nervosa e tormentata creatura. Forse ostentava un po' il suo spirito cameratesco: non voleva conversare con me se non intervenivano nel discorso anche un giovane regista e qualche allievo di Brecht; io dovetti osservare che capivo il senso del comunitario che animava la compagnia, ma in fondo solo lei era la vedova del drammaturgo.

Allora parlò di Brecht con accenti umani: «Ha aspettato tutta la vita il successo,» disse «ha scritto tanto tempo solo per il suo cassetto».

Mi ricordò che, proprio in quel palcoscenico, che la Germania comunista gli aveva dato da dirigere («Lui» precisò «era marxista, ma non iscritto al Partito»), era stata rappresentata per la prima volta *L'opera da tre soldi*; ricordò che Bertolt Brecht in America lavorava bene; che in quindici anni aveva girato mezzo mondo, sperando sempre di tornare, e finalmente fu felice quando ebbe a disposizione una ribalta e alcuni attori. «Si alzava ogni mattina alle sette, alle dieci era sempre in teatro. Questo era il suo mondo.»

Ma, come dice un suo verso – «Certo la ruota gira senza posa» –, arrivò molto presto l'ora del congedo. Brecht non pensava di morire. Da una finestra della sua casa, scrostata da colpi di mitragliatrice, dalle offese della guerra, vedeva il piccolo cimitero Dorotheen: «Quando chiuderò gli occhi,» aveva detto «portatemi lì». Ma credeva di avere ancora tanto tempo da vivere. Sulla tomba è scritto il suo nome e ci sono due vasi, con fiori falsi, di plastica, e fiori veri, che si sfogliano lentamente.

Non è più vero che d'estate per i giornali è tempo di magra. Quando non c'è un colonnello Kappler, criminale di guerra, che scappa – si fa per dire –, c'è un vescovo Milingo che arriva. Quando i pescatori del lago di Ness non intravedono nelle nebbie il mostro, c'è chi rivela che il duce aveva le corna. Allora, tutta quell'ostentazione di mascolinità era sprecata e le memorie dell'usciere Navarra (come è noto, nessuno può essere un grande uomo per il suo cameriere) un racconto fantasioso.

Ogni giorno un «passi» per la signora Petacci e il capo delle camicie nere, che aveva anche per motto: «Se indietreggio, uccidetemi», sbrigava la pratica amatoria. Senza neppure togliersi gli stivali e sui gradini del davanzale.

Tra le massime del regime c'era anche: «Non amiamo la vita comoda». Adesso la rivelazione: la Chellina, come la chiamavano gli intimi, donna Rachele nel linguaggio ufficiale, aveva una storia con il cognato di un ferroviere.

Non chiacchiere di paese, ma confessione della

figlia defunta Edda, che forse ce l'aveva con la genitrice anche per via di Galeazzo, che la consorte del capo non poteva sopportare.

Ed Edda si vendica: babbo cornuto, come ha spiegato con un titolo esplicito un quotidiano, e mamma soggetta ai richiami della carne, o dal peso della solitudine che è la condanna consueta di chi esercita il potere. Si sa che Rachele, sempre bene informata, volle vedere che faccia aveva la figlia del medico del papa, anche perché era stata sempre al corrente delle evasioni di Benito: la più sofferta e temuta, la relazione con Margherita Sarfatti, molto intelligente, colta e anche ebrea.

Dal che si deduce che per Mussolini la coerenza era, si direbbe adesso, un *optional*: dopo avere dichiarato nei famosi *Colloqui* con Emil Ludwig che in Italia problemi razziali non esistevano, e dopo avere anche avuto una lunga relazione, non soltanto sentimentale, con l'israelita signora Sarfatti, per compiacere il Führer lanciò la campagna antisemita.

Adesso, quando il vescovo Milingo ha considerato più che una sorella una prosperosa signora coreana, alla quale si era unito con un folcloristico matrimonio, fioriscono anche rievocazioni di Mussolini romanziere: c'è una sua opera di gioventù intitolata esplicitamente *L'amante del cardinale*.

Siamo in pieno teleromanzo, con in più un pizzico di anticlericalismo: Maria Sung deve accontentarsi di un vescovo.

E così anche questa estate è passata.

Mi disse una volta il dottor Eugen Dollmann, l'arguto e cinico interprete dei colloqui tra il Führer e il duce, al quale chiesi perché non veniva più in Italia: «Non bisogna mai ritornare dove si è stati felici».

Penso alle notti che passai in Sudafrica, al Krüger Park: mai le stelle mi sono sembrate così vicine. Il mondo mi sembrava innocente: il paradiso prima dei peccati degli uomini. Vidi un elefante ubriaco, aveva mangiato troppe bacche rosse, ed era più buffo che minaccioso, e le zebre, gli ippopotami, le scimmie che si davano appuntamento al ruscello per l'abbeverata.

O ritrovo qualche momento di un lontano autunno, quando navigai sul Mississippi per raccontare il romanzo del fiume e inseguivo il passato, quello dei battelli a vapore, dei biscazzieri e dei cercatori d'oro, dei cacciatori di pellicce, insomma di *Via col vento* e di Rossella O'Hara.

I luoghi della storia. Un pomeriggio a Varsavia, nel cadente Hotel Bristol. Sul comodino una Bibbia e l'elenco del telefono. Mi venne in mente Maria Walewska. C'erano una Walewska Kunegonda, una Kristina e addirittura una Walewska Lodovica Colonna. Composi il numero; rispose una voce gentile di donna. Chiesi: «Parente?». Rispose di sì, ma non volle incontrarmi. «Niente» disse «nella mia casa suggerisce il passato.»

Un orologio batté le ore: «Questa pendola» disse «ha quasi due secoli. È inutile fermare le lancette».

Feci una piccola ricerca; c'era una lettera di Napoleone, in data 12 gennaio 1807; sentimentale e anche alquanto ricattatore.

«La vostra patria mi sarà cara se avrete pietà del mio povero cuore.»

Guerra e pace. Allora (1945) la capitale dello zar si chiamava Leningrado, oggi San Pietroburgo. Il sanatorio vicino a Jalta si chiama Livadija. È un edificio bianco dal disegno rinascimentale. Una volta apparteneva allo zar che veniva a passarci l'inverno. I grifoni che reggono le sponde dei sedili di marmo assomigliano, per una vendetta degli scalpellini mal pagati, a Nicola II e a un suo avaro ministro.

Due donnette prendevano il sole al balcone dell'appartamento centrale: qui s'affacciava Alessandra per vedere i tramonti; attorno alle due vecchie piante di sequoia giocava il principino Alessio.

Nel 1921 il palazzo diventò la residenza del «barone nero» Vrangel'; sotto il cielo di Crimea si spensero le illusioni degli ultimi seguaci dell'imperatore. Quelli che sfuggirono all'attacco dei «rossi» andarono a vendere le divise e le decorazioni agli antiquari di Parigi; lasciarono le selle dei cavalli cosacchi per il volante delle auto pubbliche. Un decreto di Lenin ordinò che duecento ville dei nobili e dei borghesi e i settanta chilometri di costa che appartenevano alla famiglia Romanov fossero trasformati in ospizi per gli operai e in una spiaggia per tutti.

Nei saloni, carichi di velluti scarlatti e di cristalli di Murano, le cameriere stavano apparecchiando i tavoli per gli ospiti, versavano bicchieri di latte acido, servivano piattini di pomodori. Qui, nel febbraio del 1945, come ricorda una lapide, Stalin, Roosevelt e Churchill discussero il nostro destino.

La stanza di Roosevelt era a piano terreno; le tre grandi finestre guardavano verso il mare, un'antica quercia copre la facciata d'ombra. Quando io vi entrai, nelle stanze dove si erano pigiati i colonnelli e i generali americani, riposavano metallurgici e kolkosiani. Le discussioni avvenivano attorno a un imparziale tavolo ovale, in quella che un tempo era la sala del trono. Nel parco si vedevano ancora i segni della guerra, ma Stalin era stato intransigente: «O venite da me, o la conferenza non si farà».

Il «padre dei popoli» si sentiva già il vincitore: le sue truppe stavano marciando su Berlino. Indossava la divisa da maresciallo. Churcill portava il cappotto di panno soffice della Royal Navy, con i bottoni di cuoio; Roosevelt, pallido e febbricitante sotto un mantello nero, aveva già in faccia i segni della morte.

Nel giardino, tenuto all'italiana, i fotografi scattarono molte immagini di quell'incontro: tutte le premure di Stalin erano per il presidente degli Stati Uniti, che aveva ormai poca forza per battersi e che pensava davvero di far nascere una umanità pacifica e più giusta.

Una sera passeggiavo per le strade di Leningrado, e al numero 14 di Stoliani Perenlok mi indicarono la casa nella quale Dostoevskij inventò il tormentato destino di Raskolnikov, il cupo eroe di *Delitto e castigo*. Era buio ed era facile immaginare estenuanti conversazioni attorno a un *samovar* sul bene e sul male, sull'impossibile felicità.

Passai sul ponte Petrovskij, nella corrente si specchiavano i lampioni. «Qui» mi dissero «fu rinvenuto uno stivaletto di Grigorij Rasputin.»

Così andai a vedere dove era il palazzo Jusupov. Dietro quel portone chiuso il furbo *starec*, il santone che faceva i miracoli, non si salvò dall'aggressione del principe, gli occhi spiritati che incantavano la zarina e le signore della corte diventarono una livida macchia.

Ho trascorso un mattino al cimitero di Novodevič; nella chiesa pregavano una volta le novizie del monastero delle vergini. La luce era tersa, sul vialetto si posavano candide colombe. Anziane donne si riparavano dal sole sotto ombrellini colorati, le popolane raccoglievano i capelli nei fazzoletti bianchi e chiacchieravano, sedute sulle panchine, davanti alle tombe, rese grigie dalla pioggia e dal muschio, dei cadetti decabristi, che infiammati dalle teorie liberali si rivoltarono allo zar; un giovanotto e una ragazza leggevano un libro di versi di Majakovskij davanti alla lapide che copre la salma del poeta.

Feci il viaggio per il monastero di Zagorsk. Undici chiese, e la prima fu costruita nel Settecento per volere di Pietro il Grande. È uno splendido esempio di barocco russo e ci sono attorno gli altari, le più suggestive e commoventi icone di Rublëv. Mi accompagnava un giovane pope in camicia estiva e in pantaloni. Parlava un inglese un po' scolastico. Sotto gli alberi, sul prato verde, una moltitudine di fedeli attendeva la funzione del vespro. I bambini giocavano felici. Una cieca era inginocchiata sui gradini di una chiesa, e aspettava.

Ritrovai le piccole cose del mondo di ieri su una tavola imbandita nella stanza abitata da due garbate signore: mi avevano invitato a cena, era stato per me davvero un grande onore, una prova di amicizia.

I piatti del servizio erano scompagnati, ma di buona fattura; la tovaglia, un po' consumata, era di lino finissimo e i ricami rivelavano lunghe veglie e il paziente lavoro di mani gentili. Spiegò la più giovane: «Mio padre era ingegnere, avevamo anche una dacia e delle terre».

Non c'era nella sua voce né rancore né rimpianto. La radio trasmetteva lunghe canzoni, «interminabili», disse l'amica, «come i fiumi russi».

È di uno scrittore che amo; Georges Bernanos: «Ci sono tanti morti nella mia vita, ma più morto di tutti è il ragazzo che io fui».

Sono nato nell'agosto del 1920 e mia madre mi raccontava che era mezzogiorno, e mio padre, tenendomi in braccio, si affacciò alla finestra della stanza e urlò a quelli che passavano sulla strada: «È un maschio!».

Il grande pittore Léger ha detto che era «un'epoca pericolosa e magnifica, nella quale si intrecciavano disperatamente la fine di un mondo e l'inizio di un altro».

Ho avuto un'infanzia felice: andavo con Ofelia, la figlia di un birocciaio, lungo il fosso; avevamo inventato un gioco: chi pescava una biscia d'acqua con in testa una bandierina tricolore vinceva un milione. Ma il secchiello di latta si riempiva di girini, piccole larve nere e scivolose di rana, le trote si nascondevano sotto i sassi coperti di muschio.

La maestra della scuola era la mia nonna materna: insegnò quarantaquattro anni, tre classi, e le diedero alla fine la medaglia d'oro. Tra i suoi allievi un viceministro, un ingegnere e un farmacista: a Pianaccio siamo tutti parenti. Sulle pareti c'erano le fotografie del re e della regina – di Elena ricordo il filo di perle che le adornava il collo –, e la stampa di un inventore della bussola di cui non ricordo il nome.

I banchi erano di legno, con il calamaio di porcellana bianca, si usavano penna e carta asciugante, e il gesso strideva sulla lavagna. I miei compagni erano figli di boscaioli e di terrazzieri e i padri passavano l'inverno a far carbone in Maremma e in Sardegna. Tornavano a primavera, con i pastori: e sento ancora l'abbaiare dei cani dal pelo bianco che spingevano il gregge e il suono dei campanacci dei montoni.

L'autunno e l'inverno erano le stagioni che più amavo: venivano le donne a veglia, sbucciavano le castagne e recitavano il rosario. E poi le vecchie si abbandonavano ai racconti: storie di ragazze, di banditi, di disertori della Grande Guerra che chiedevano una pagnotta e di non essere denunciati. Mia madre ne incontrò nei campi di Fiammineta uno dalla barba nera e dagli occhi spiritati; le disse: «Non voglio morire». Poi si infilò nella macchia di faggi e sparì.

C'erano anche riti magici: la zia Eva sapeva togliere il malocchio. Versava un po' d'olio in un piatto e recitava le formule che potevano essere trasmesse ad altri solo in certe notti: mi pare quella di Natale.

Poi le ragazze sapevano leggere i segni dell'acqua ghiacciata in una scodella esposta su un davanzale la notte di San Giovanni: si potevano intravedere le sorti soprattutto dei legami amorosi. Ogni tanto arrivava, ospite di mia madre, la signora Ersilia, una vedova che gradiva l'ospitalità e la ricambiava facendo le carte e leggendo la mano; ricordo che ogni tanto diceva: «Ecco, c'è l'Angelo», e il volto di chi aspettava un responso sul destino si illuminava.

Forse anche nei proverbi, qualche volta, c'è del vero. «Partire è un po' morire» si applica, purtroppo, a certi voli pilotati dai terroristi, ma anche al sentimento del distacco.

Quante volte mi sono detto: «Qui non tornerò più». Mi capitò a Dallas, nel 1952, mia scoperta dell'America; poi lì ammazzarono Kennedy, e andai a cercare i testimoni e intervistai anche la madre dell'assassino.

Ci sono luoghi che hanno segnato la mia vita di cronista e soprattutto quella di uomo.

A Copenaghen, quando volli conoscere il grande regista Dreyer, ero febbricitante e dalla finestra vedevo i gabbiani che si tuffavano fra le immondizie del porto e le loro urla sottolineavano la mia tristezza. Ho in mente un nero solitario, seduto su un paracarro, che fumava e fissava l'orizzonte.

Immagini perdute e lontane. Ho visto crollare le ideologie che hanno segnato un secolo: quanti caduti dietro Stalin e dietro Hitler, dietro Mao e dietro Pol Pot, e anche tra le «quadrate legioni» di Mussolini.

Ho visto ammainare la bandiera con la falce e il martello sul Cremlino e bruciare sulla Piazza Rossa le svastiche naziste. Il dio che ha fallito, il marxismo-leninismo, è caduto sotto i nostri occhi. E nelle memorie di Isaiah Berlin, sull'autore del *Capitale*, si legge questo impietoso giudizio del grande storico Lewis Namiez: «Un tipico semiciarlatano ebreo che aveva messo le mani su una buona idea, un'ottima idea, e che la rovinò solo per far dispetto ai gentili».

Chruščëv diceva che il capitalismo era un cavallo stanco e lo sfidava sul terreno delle conquiste materiali per raggiungerlo e superarlo. Nel cielo volava orgogliosamente Gagarin, ma amaro era il commento della gente russa: «Lo teniamo su con le nostre spalle», e invece delle navicelle spaziali avrebbero preferito più pentole, più scarpe e magari più automobili.

Lenin non ha creato l'uomo nuovo, non c'era riuscito neppure Gesù, e le regole dell'esistenza restano immutate: ogni individuo cerca il cibo, la casa, il piacere, la giustizia, il potere e anche la gloria. E molti popoli vorrebbero ancora uscire, senza troppi danni, dal sistema del socialismo reale.

Simon Lewis, uno studioso della Cina, racconta che «per una iniziativa imbecille di Mao circa venti milioni di cittadini, c'è chi dice cinquanta, nel periodo 1959-1961 morirono di fame ed è impossibile calcolare le vittime della Rivoluzione culturale».

Ogni tanto i polacchi devono ricominciare da zero. Sulle loro terre sono passati i cavalieri teutonici, i cosacchi dello zar, l'armata folle di Budënnyj e i carri armati del Führer. Cambiano i capi, cambia il regime, cambia perfino la morale. Rimane soltanto, immutabile, la Polonia: fabbriche, campagne, chiese, foreste, cimiteri; c'è un sentimento più forte di tutte le ideologie che li fa ritrovare, che li tiene uniti.

Un piccolo elettricista di Danzica, che aveva dalla sua un papa a Roma, e un certo Gorbačëv a Mosca, ha dato una spinta alla storia. La faccia pingue e soddisfatta di Lech Walesa, e il viso assorto, segnato e teso del nuovo capo del governo, Tadeusz Mazowiecki, testimoniavano un altro cambiamento. Restavano, sul fondo, gli occhiali neri e i gesti rigidi del generale Wojciech Jaruzelski.

La Polonia ha avuto nella guerra sei milioni di morti: tre erano ebrei. Ogni tanto tende a dimenticarlo. Non è bene. Ci sono, negli Stati Uniti, sette milioni di suoi cittadini, emigrati in cerca di fortuna, ma che non scordano chi è rimasto o non ha potuto andarsene. Ora contano. La Polonia non vuole più essere, come diceva il cardinale Stefan Wyszyński, «il Cristo delle nazioni».

Ho sempre avuto un istintivo trasporto verso gli sconfitti o gli umiliati, le vittime del sopruso o dell'intolleranza. A Bologna c'era una specie di caserma, davanti alla chiesa di San Francesco, dove erano state isolate certe famiglie di testardi socialisti di Molinella. Il mio compagno di banco della quinta elementare si chiamava Callegari, e alloggiava dietro quel misterioso portone che chiudevano a una certa ora di sera. Gli ho voluto bene.

Ho visto due Germanie: quella Federale, capitale Bonn, e la DDR, Deutsche Democratische Republik; oggi ce ne è una sola.

Aveva ragione Willy Brandt che, quando era borgomastro di Berlino, mi disse: «La storia non conosce la parola mai».

Sulla piazza di Rostock ho visto sfilare un reparto della Volksmarine, con banda, tamburi, fiaccole e stendardi adorni di lunghi e biondi crini di cavalli, e i marinai marciavano con passo marziale, si sentivano ancora echeggiare tra i vecchi palazzi, che sembrano disegnati per una scena, antiche marce, gli stivali battevano duri il selciato, i candelotti che spandevano una luce rosea si scioglievano nella nebbia; si accendeva, lontano, il faro di Warnemünde.

C'era nella cerimonia un sapore prussiano, anche se i soldati, tra loro, non si chiamavano più camerata, ma compagno. Le uniformi ricordavano le divise della Wehrmacht e nelle caserme erano ancora venerati i busti di alcuni comandanti che servirono sovrani e regimi reazionari: August Gneisenau, Gerhard von Scharnhorst e anche Gebhard Blücher, l'astuto avversario di Napoleone che era nato tra le grigie mura di questa città. Novantamila soldati e 46.000 guardie di frontiera facevano da sentinella perché l'insidia o l'eresia non penetrassero nella società più chiusa del blocco orientale.

Squillarono le trombe e un ufficiale lesse il giuramento: «Io prometto di servire lealmente la Repubblica democratica tedesca, la mia patria e di difenderla, agli ordini del governo degli operai e dei contadini, contro ogni nemico. Giuro che al fianco dell'armata sovietica e dei paesi nostri amici sarò sempre pronto, come soldato dell'esercito nazionale, a lottare per il socialismo e a offrire la mia vita per il raggiungimento della vittoria. Se sbaglio o tradisco merito la punizione della legge e il disprezzo di tutto il mio popolo».

I ragazzi gridavano: «Evviva», i pescatori d'alto mare, quelli che andavano a buttar le reti e a lanciare gli arpioni fin nella Groenlandia o al Labrador, fumavano la pipa, indifferenti al vento gelido che spazzava le spiagge del Baltico, ma non alla bellezza del rito che rievocava memorie e orgogliosi sentimenti mai cancellati.

Nell'immensa Ratskeller cominciarono poi a servire piatti di pesce e fette di prosciutto della Sassonia; io entrai nell'osteria del signor Konrad Lehmet, la cui ditta, da cento anni, continuava a fabbricare un doppio Kummel che riscaldava i cuori e teneva su il morale.

I marinai suonavano con le armoniche la marcia

di parata di Poellendorf, cara a generazioni di combattenti, io chiacchieravo con il signor Lehmet, timido rappresentante della iniziativa privata.

«La vita» disse «comincia a sessant'anni.» A quell'età pure nella Germania Orientale si andava in pensione e si poteva anche espatriare e viaggiare per il mondo. Al Partito i vecchi non servivano.

Polonia. Nel parco del Palac Lazienkowski i fidanzati bevono succo di mele. Un cigno scivola sull'acqua nera. Tra questi faggi, più di un secolo fa, morirono i giovani cadetti che si erano ribellati allo zar. Il tenente che li comandava, ricorda una lapide, si chiamava Pëtr Wysocki. Provai a immaginarlo: alto, baffi biondi, occhi azzurri, un po' freddi, una giacca carica di alamari: si assomigliano tutti questi polacchi.

La storia. Passai davanti a un palazzo dagli stucchi grigi per il fumo e le stagioni: qui, mi dissero, Napoleone conobbe Maria Walewska. Nevicava, correvano le slitte, i campanelli dei cavalli tintinnavano nell'aria.

Forse la colpa è mia, mi sembra di vedere tante figure sommerse, è come se l'acqua le scomponesse e le dilatasse, forse è la mia malinconia che mi spinge verso certi cimiteri degli elefanti, dove si rifugia la gente stanca, gli sconfitti; voglio dire che non c'entra la politica, io sto bene con questi tipi che hanno qualcosa da raccontare.

Così ascoltavo la divorziata che aspettava di diventare la moglie di un commerciante tedesco, e pazienza se qualcuno ogni tanto prendeva il posto del caro e premuroso Fritz: «Io» diceva la brunetta ungherese di Esztergom con cinismo «ho il cuore grande». Era stata sposata con un atleta russo, poi con un tennista ungherese, aspettava di andare a vivere ad Amburgo con il roseo Fritz, che ne aveva cinquanta, e lei ventidue, che non era uno sportivo, ma vendeva prodotti chimici e viaggiava molto, ma la brunetta di Esztergom, che aveva il cuore grande, non sarà mai triste. «Lei» mi chiedeva «è proprio sicuro di non conoscere un giornalista italiano che si chiama Giovanni e lavora a Roma?» Mi dispiaceva, ma io ero proprio sicuro.

Anch'io ho domandato a un collega cecoslovacco: «Hai mai conosciuto un'attrice che si chiama Hana Vitova? Più di vent'anni fa interpretò un film che si intitolava *La falena*».

Mi piaceva molto, indossava vestiti di lustrini, attorno al collo portava lunghi boa che si dissolvevano nella luce; ero studente, mi piaceva Hana Vitova, come mi piaceva Michèle Morgan, con l'impermeabile e il basco sotto la pioggia. Queste donne rappresentavano i sogni, le incertezze e le insoddisfazioni dei ragazzi di allora.

Il collega, una sera, mi accompagnò in un cabaret di terz'ordine e a un tratto il riflettore illuminò, su un palcoscenico di pochi metri, il volto melanconico di una ex bella donna che, accompagnata da un violinista, cantava una ballata piena di disperazione. Io uscii perché vorrei, nonostante tutto, conservare le mie illusioni. Allora siamo andati a bere al ricordo della bellissima Hana Vitova e della nostra giovinezza perduta.

Con l'aiuto dei testimoni ho ricostruito il giorno che segnò la fine della guerra. Io indossavo una uniforme americana, che recava su una manica il distintivo del Gruppo di combattimento Legnano e un piccolo tricolore.

Arrivammo a Bologna il 25 aprile, andai a vedere che cos'era rimasto della mia casa. Scendendo in città dalla collina mi fermò una ragazza; pensava, dalla divisa, che appartenessi all'US Army. Mi chiese: «Have you chocolate?». Risposi: «Mi dispiace, ma sono italiano». Sul suo volto si disegnò un po' di rossore e di delusione.

Germania. Gli alberi di Berlino hanno le foglie grigie. La polvere delle macerie stagna nell'aria. La città è stata appena dichiarata «obbiettivo militare», molta gente cerca rifugio nelle gallerie della sotterranea e il rumore degli spari disturba le trasmissioni della radio. Davanti alla Porta di Brandeburgo c'è un cumulo di calcinacci e la carcassa di un camion. Sulla Kurfürstendamm un ragazzo della Volkssturm, con la fronte bendata, chiede qualcosa a un poliziotto. Oggi, 22 aprile, è giorno di festa. Una volta a quest'ora, sono le cinque del pomeriggio, la gente sedeva ai tavolini della Pasticceria Kanzler e i camerieri cominciavano a servire birra bianca, quella che sa di lampone.

Due lunghe automobili corrono verso il bunker di Hitler, a bordo di una c'è il dottor Goebbels, che si guarda attorno, indifferente, e sua moglie Magda e i suoi sei bambini che piangono. Il ministro della Propaganda ha deciso: aspetterà la fine accanto al suo Führer.

Sul ponte di Torgau, il 25 aprile, i GI della 1ª Armata americana e i soldati russi della 5ª Armata della Guardia del maresciallo Konev si stringono la mano, qualcuno si abbraccia: un fotografo scatta la scena e scrive un appunto per la didascalia «Incontro sull'Elba».

Hitler è eccitatissimo. Ha una riunione, l'ultima, con il suo Stato Maggiore. Urla, impreca, insulta tutti; alla fine licenzia il suo medico personale, il dottor Theodor Morell, che l'ha tenuto su a forza di pillole. Nel Führerbunker la luce artificiale illumina le facce stravolte dall'insonnia e dall'angoscia; il rumore dei cannoni è assordante e continuo. Hitler si abbandona all'ultimo miraggio; spera che l'armata del generale Wenck possa forzare l'assedio e liberare la capitale. Ovunque fiamme e rovine: si stanno applicando le regole dell'operazione «terra bruciata». «Poco importa di quelli che rimarranno dopo la lotta,» ha detto il Führer «perché i migliori sono caduti.» I soldati della guardia e le impiegate della Cancelleria danzano tra le pareti di cemento armato del bunker e molti si ubriacano.

Sabato 28 aprile, la signora Magda Goebbels consegna all'aviatrice Hanna Reitsch, che con un piccolo apparecchio tenta di lasciare Berlino, una lettera per il figlio Harald Quandt, nato da un precedente matrimonio. «Da sei giorni noi tutti, il babbo, il tuo fratellino, le tue cinque sorelline e io» scrive «siamo nel Führerbunker per dare alla nostra vita di nazisti l'unica fine possibile e onorevole. È il tramonto dei nostri ideali gloriosi, e con essi morirà tutto ciò che di bello e ammirevole e nobile e buono ho conosciuto nella mia esistenza. Il mondo che verrà dopo il Führer e il nazismo non sarà più degno di noi; per questo ho portato con me i bambini. Ieri sera il Führer si è tolto il distintivo del partito e lo ha appuntato sul mio petto: ne sono stata fiera e felice. Possa Dio darmi la forza di compiere il mio ultimo e più difficile dovere: essere fedeli al Führer fino alla morte, finire la nostra vita con lui. È forse questa una gioia che non avevamo mai osato chiedere al destino.»

Alle 4 del mattino di domenica 29 Hitler firma le tre copie del suo testamento e congeda per sempre Frau Junge, la segretaria. Ha saputo della fine di Mussolini. Non si conoscono i commenti. Nel pomeriggio dà ordine di avvelenare il suo cane, Blondi, la grossa lupa che lo seguiva ovunque. All'indomani la mattinata trascorre in modo apparentemente normale. Alle 15.30 gli ultimi superstiti del bunker odono uno sparo. Hitler si è tirato una rivoltellata, è riverso su un divano, accanto a Eva Braun, sua moglie da un giorno, che ha rotto con i denti una fiala di cianuro.

È il 30 aprile; i cannoni dei russi sparano a zero, sono già nei pressi della Cancelleria. Il nuovo presidente del Reicht è il grande ammiraglio Karl Dönitz e annuncia l'evento alla radio: «Unser Führer Adolf Hitler ist tod», il nostro Führer è morto, e tesse un commosso elogio del defunto. Dirà poi: «Non mi pareva onesto denigrarlo subito dopo la sua scomparsa».

Il dottor Joseph Goebbels, nuovo cancelliere, rimane poco in carica. È molto occupato a scrivere la quotidiana pagina del diario; intanto Frau Magda (racconta il signor Naumann, un testimone) serve ai bambini l'ultimo pasto: aggiunge alla tazza di latte un po' di sonnifero e, quando i piccoli dormono, somministra a tutti e sei un cucchiaino di veleno. Poi il dottor Goebbels offre il braccio alla consorte, s'infila i guanti, salgono la scala che porta al giardino. Due spari. Sono le 8.30 del 1° maggio.

Goethe è forse l'unico tra i defunti illustri che non ha perso la guerra. La conferenza di Potsdam non lo ha messo in difficoltà e il muro non lo ha diviso: era venerato da entrambe le parti. Brecht, ad esempio, e Heinrich Mann ricevevano solo gli omaggi della gente dell'Est; Grosz era piombato invece nell'indifferenza dei berlinesi dell'Ovest. La sorte benigna ha fatto nascere l'autore del *Faust* a Francoforte e gli ha concesso di morire a Weimar: c'erano quindi due case che i tedeschi potevano visitare, c'erano due letti sui quali era ammesso deporre, nelle ricorrenze storiche, le coroncine d'alloro.

Il sacrario di Weimar fu colpito da bombe americane ed è stato restaurato, come avverte una lapide, con il benevolo aiuto dell'Armata Rossa. A Francoforte la ricostruzione era totale ma fedele, e perfino i chiodi avevano le stesse misure che si usavano prima della metà del Settecento. Un capolavoro della precisione germanica. Sulla Frauenplatz avevano abbattuto i vecchi alberi che rallegrarono gli stanchi occhi del poeta, e ciò aveva scatenato l'indignazione dei sudditi del comunismo; nelle stanze dove Johann Wolfgang mosse i primi passi avevano rubato un quadretto senza valore, provocando lo sdegno dei seguaci del liberale Ludwig Erhard.

A Weimar la guida che mi accompagnava ci teneva a spiegarmi che Goethe era, in fondo, un partigiano della pace, amico dei poveri e favorevole alle riforme sociali e, quando mostrava gli oggetti che provavano l'interesse del grande umanista per le scienze naturali, intendeva far capire che il celebre uomo poteva quasi ritenersi un precursore dello *Sputnik*. A Francoforte i ciceroni illustravano la tenace passione del cantore di Margherita per il mondo classico e, tutt'al più, lo consideravano un conservatore illuminato che preferiva, in ogni caso, alla compagnia dei proletari quella dei prìncipi e dei cortigiani.

Le donne socialiste, ossequienti ai dettami della morale marxista, non portavano fiori alla tomba di Charlotte von Stein, l'amante, ma a quella di Christiane Vulpius, la legittima consorte. Le meno impegnate ragazze della Bundesrepublik tenevano al contrario la contabilità delle molte donne che allietarono la lunga esistenza del genio: e c'era una Gretchen che lo incanta quando era ancora adolescente, e poi una Kätchen, e poi una Friederike che gli ispirò qualche pagina del *Wilhelm Meister*, poi una Susanne che gli ricordava i rigori luterani, poi Charlotte Buff, che gli fece scoprire il dolore, poi una Lili, poi una Augusta, e il vegliardo aveva passato i settanta quando fu consolato ancora da una giovanissima Marianne.

A Weimar il pubblico era più rispettoso: girava fra i cimeli con il cappello in mano e osservava le stampe e gli oggetti con schietta devozione; a Francoforte ammiravano la perfetta ricostruzione delle celebre memorie, ma il cappello lo tenevano in testa.

«Noi siamo fieri di aver dato all'umanità la mente e la coscienza di Johann Wolfgang Goethe» diceva un professore mostrando all'attenta scolaresca le opere complete dell'ispirato compatriota. E i ragazzi guardavano con orgoglio i volumi, rilegati in pelle e con i titoli dorati, nei quali è racchiusa tanta saggezza e tanta poesia.

E io pensavo che a quattro chilometri dalla tranquilla piazzetta c'era una quercia sotto la quale Goethe sostava in compagnia di Charlotte von Stein, e parlavano d'amore e di gloria; e quell'albero fu tagliato per ordine di un Gauleiter nazista, e il luogo delle amene passeggiate della leggendaria coppia ha un nome delicato, che una volta si leggeva solo nei manuali di letteratura, poi quel nome gentile, Buchenwald, che vuol dire «bosco di faggi», è diventato un nome sporco. Buchenwald adesso significa anche morte.

Sono salito sul colle; da lassù lo sguardo si posa prima sulla Turingia, pascoli e case dai tetti spioventi, campanili sottili, strade bianche e meli fioriti, chiese grigie e bambini biondi, fumo di legna che si perde nel cielo di primavera, poi su mattoni anneriti che segnano le fondamenta di baracche demolite, sul filo spinato corroso dalla pioggia, su binari interrotti, su ordinati cartelli, guide precise, lucide sbarre, letti di legno, bluse di panno a righe...

Ecco un carro sgangherato carico di pietre che gli uomini, una volta, trainavano cantando; anzi, le guardie li chiamavano «i cavalli canterini», un cartello dice: «Homo sapiens», c'è un lettino da medico, uno stetoscopio, alcune siringhe, un po' di cotone idrofilo, un armadietto candido con la croce rossa... Il dottore faceva l'iniezione e provava certe sostanze, tentava curiosi esperimenti: si possono fabbricare anche paralumi e borsette con la nostra pelle, resiste, si presta alla confezione, c'è un aggeggio snodabile per misurare le signore e i signori che vengono fatti entrare nella stanza, scorre lungo una scala graduata e segna il punto raggiunto dalla testa, 1,70; 1,75; 1,80; funziona ancora, ma dietro c'è una rivoltella che spara su quella nuca che s'è appoggiata fiduciosa sull'arnese, ci sono le celle illuminate tenuamente, e alcune scritte che avvertono che qui sostarono tre antifascisti italiani che trentasei ore prima del 9 maggio 1945, trentasei ore prima dell'arrivo delle truppe alleate, furono uccisi; con loro un pastore, un socialdemocratico, un comunista.

«Che sfortuna,» dicono i visitatori «già, solo trentasei ore, poi era tutto finito.» E depongono qualche mazzo di primule, o di rose pallide, sulle casacche di pezza, su un forno spento, o tra le inferriate. Mi fermo davanti a una piccola targa che dice: «In ricordo di Adolfo Sasso/la moglie e i bambini».

Poi penso: «Weimar, la città di Bach, di Cranach, di Listz, di Schiller, e di Goethe, è a quattro chilometri da Buchenwald, "bosco di faggi", e cantano gli uccelli perché è primavera, e si danno concerti e recite nei teatri, si va a passeggio nella foresta, e dei tre ignoti antifascisti italiani, di Adolfo Sasso – chissà chi era questo Adolfo Sasso, che è nato dalle mie parti –, del prete protestante e degli altri restano una targa, un cartello. Di tutto quello che è stato rimangono ormai solo qualche metro di filo spinato, le siringhe, l'armadietto, l'apparecchio per misurare la statura e per ammazzare».

Anche Buchenwald è diventato un museo, un museo tedesco, razionale, tutto spiegato, tutto chiaro: come funzionava, come si viveva, come si moriva; solo a una domanda nessuno può rispondere: «Perché? Weimar dista da Buchenwald soltanto quattro chilometri. Perché?».

Sulla porta del campo c'è un motto stampato nel

ferro battuto, lo misero le camicie brune, e dice: «*Jedem das Sein* – A ciascuno il suo». Ma non è vero.

Non essendo né uno storico, né un politologo e neppure un sociologo, ma soltanto un cronista curioso, sono andato a cercare le persone e le loro vicende. Forse non è neppure il caso di descrivere paesaggi: oggi bastano una telecamera e due inquadrature.

La Polonia di Isaac B. Singer è tutta nei suoi libri. È quella degli ebrei ortodossi, che aspettano la venuta del Messia: il suono di un corno di ariete darà il fatale annuncio. Studiano la Torah, rispettano il Sabato e in quel giorno santo non fanno nulla, non toccano neppure il denaro. Hanno lunghe barbe, indossano gabbane di raso e portano in testa copricapi di pelliccia. Vivono e trafficano nelle umide case del ghetto, in compagnia dei fantasmi e delle antiche paure: il mondo è «un immenso scannatoio», e nella mente rivivono i *pogrom* e le lance dei cosacchi.

Isaac è un ragazzino «dal volto pallido, dagli occhi azzurri e dai riccioli che gli scendono lungo le guance» che cresce in una famiglia povera e rispettosa del volere di Dio; ma si angoscia con molti dubbi e interrogativi senza risposta: se il Signore fosse buono non permetterebbe ai lupi di divorare gli agnelli e ai gatti di catturare i topi innocenti.

Non ha neppure molta fede nell'uomo: «Oggi i polacchi» annota «tormentano gli ebrei; ieri i russi e i tedeschi tormentavano i polacchi». Le piazze sono piene di monumenti ad assassini patriottici o rivoluzionari.

La giovinezza a Varsavia trascorre nel primo dopoguerra: già il compagno Stalin comincia a farsi un nome, un ex imbianchino chiamato Hitler tenta in Germania un colpo di Stato e in Italia Mussolini distribuisce agli avversari randellate e olio di ricino. È tempo di *charleston* e di *fox-trot* e le ragazze a passeggio per Novy Swiat sfoggiano giacche di pelle, quelle che nell'URSS sono indossate dalle donne della Čeka.

E, anche a proposito di fanciulle, Singer ha le sue convinzioni: gli piacciono molto e ne parla con franchezza, perché «gli organi sessuali esprimono l'anima umana meglio di tutte le altre parti del corpo». Non si pone limiti: «Perché mai un'ape dovrebbe legarsi a un solo fiore?».

Si sente estraneo ai polacchi, che hanno una storia e un Dio diverso, e ha l'orgoglio degli israeliti che «quando sanno che una cosa è giusta osano opporsi persino all'Onnipotente». Hitler è discendente di Amalek, il persecutore, ma a Singer non piacciono neppure i comunisti: il suo amico Isaac Deutscher, che è diventato trotzkista, rivela le violenze che affliggono Mosca.

Insegue il successo: è convinto che un narratore deve attirare a sé i propri lettori, ma le sconfitte lo amareggiano. Intuisce che sta arrivando la tempesta e vede nell'America una mano tesa, che lo aiuterà a ottenere amore, denaro e riconoscimenti, e decide di andarsene. Taglia, nel 1935, i ponti con la terra che lo ha visto nascere, ma sa già che anche oltre l'Atlantico sarà sempre uno straniero, fino al termine dei suoi giorni.

La Varsavia che lascia è quella del Castello Reale, che vide gli amori di Napoleone con Maria Walewska, delle architetture immortalate nelle tele di Bernardo Bellotto, detto il Canaletto, una città di oltre un milione di abitanti che si estende sulle sponde della Vistola.

L'antisemitismo ha, più che motivi confessionali o di razza, ragioni economiche e sociali: oltre la metà dei medici, degli avvocati, degli insegnanti sono ebrei e così due terzi degli iscritti al Partito comunista: nel 1938, il 90 per cento dei dirigenti hanno origini semite.

La borghesia è chiusa e codina: non si ricevono attori o divorziati, nessuna signorina per bene può frequentare i bar degli alberghi. Sono aperti 20 teatri e 75 cinematografi e ristoranti raffinati come Fukier o Laugner, e poi caffè letterari, dove i gentiluomini baciano la mano anche alle cameriere, pasticcerie, locali notturni.

Il 1° settembre 1939, per dirimere una controversia impostata su Danzica, alle 4.45 del mattino, le divisioni corazzate della Wehrmacht scattano all'attacco. Diciotto giorni dopo è la volta dell'URSS, che invade la parte orientale con un atto che, secondo Alain Decaux, «è il più immorale dei tempi moderni».

Il maresciallo Edward Rydz-Smigly, una amabile nullità che durante le manovre dipinge acquarelli e ha una smodata passione per il bridge, dovrebbe guidare la difesa: eroici assalti di cavalleggeri si infrangono, con le loro bottiglie Molotov, contro i carri armati tedeschi.

In meno di tre settimane, Varsavia cade. La fame è più forte di tutto: anche dell'indignazione. Il 1° ottobre, in una capitale senza acqua, senza pane, senza luce, senza trasporti, entrano i reparti di von

Brauchitsch e distribuiscono subito zuppa di piselli e pagnotte nere, mentre gli operatori della Propaganda Staffel girano la scena. Gli ebrei, naturalmente, sono respinti. Poi, più nulla.

Andai a trovare Singer nella sua casa di New York: un decoroso appartamento che aveva l'aria del provvisorio. I libri erano sparsi un po' ovunque, come se fossero in attesa di essere sistemati; sul caminetto c'era il candeliere rituale: la menorah.

Isaac B. Singer era come si descriveva: «calvo, le guance incavate, bianco, le orecchie a sventola», ma lo sguardo era dolcissimo; e il suo racconto sincero e vibrante. Non aveva nessun orgoglio: neppure della sua condizione di ebreo. «Non si decide nulla venendo al mondo» disse. «I genitori, o gli antenati, lo hanno fatto anche per noi.»

Parlò della sua vita: «Mio padre era un rabbino e con l'aria respiravamo il Talmud. Mi spiegava che essere ebreo è un gran privilegio e un gran dovere per un uomo. Ho frequentato una scuola dove mi hanno insegnato soltanto materie sacre, non ho avuto nessun'altra educazione. Poi ho imparato per conto mio. Ovviamente, tutto questo mi è rimasto dentro.

«A un certo punto avevo rifiutato quelle dottrine; quando ero giovane mi sono detto: non esiste alcuna prova dell'esistenza di Dio e nessuna dimostrazione che Egli provi molto interesse per noi. Mi consideravo un libero pensatore. Ma oggi, che ho raggiunto la vecchiaia, non riesco ad abituarmi all'idea che l'universo sia soltanto un incidente fisico o chimico, che l'evoluzione sia partita da un'esplosione cosmica. Oggi credo, come credevano i miei genitori e i miei nonni e i miei bisnonni, che ci sia un

Essere che ha dato inizio al tutto e che lo segue. Che ciò sia per noi un bene o un male non ha importanza, esiste e dobbiamo tenerne conto».

Lasciò la Polonia nel 1935, i nazisti erano già al potere da due anni. Gli chiesi come era arrivato alla decisione di andarsene.

«Credevo, mi dicevo che Hitler era un gran bugiardo, ma che quanto prometteva in senso negativo lo avrebbe mantenuto. Ero certo che sarebbe accaduta una enorme catastrofe al mio popolo e ai popoli di tutta Europa, e in modo egoistico ho cercato di salvarmi. Questo è il motivo per cui ero molto ansioso di emigrare in America. Ero più passionale della maggior parte dei miei confratelli.

«Sono arrivato in questo Paese nel bel mezzo della depressione: molta gente mi raccontava di quanto denaro aveva perso, si parlava ovunque di fallimenti e di cose del genere. Ma non me ne preoccupavo molto, non ho rimesso soldi perché non ne avevo, ero quasi senza un centesimo.

«L'unica cosa buona era che mio fratello maggiore, Israel J. Singer, si trovava qui e naturalmente mi accolse a braccia aperte. Pensavo che la lingua yiddish, nella quale scrivevo, non avrebbe avuto lunga vita né in Polonia né altrove; io ero un giovane narratore senza una lingua propria e ciò mi fece una tale impressione che smisi di lavorare. Per qualche anno non ho più scritto, non ci sono più riuscito. Ma dopo un certo periodo di tempo mi sono detto: se ho qualcosa da dire, qualcosa da raccontare, devo raccontarlo come so, e il resto accadrà. E ho cominciato.

«Ho subito trovato un lavoro, scrivevo per il *Jewish Daily Folio*, gli promisi un romanzo su un falso messia. Più tardi, quando lo terminai, e fu un grosso insuccesso, scrissi alcuni articoli; insomma me la cavavo. Potrei raccontarle della mia situazione finanziaria: la mia unica speranza era quella di riuscire a racimolare quindici dollari la settimana. Se riuscivo a racimolare quindici dollari la settimana avevo denaro sufficiente per mangiare nei self-service e per pagare l'affitto della camera ammobiliata. Ma per anni non mi è riuscito di raggiungere neanche questo obbiettivo.»

Gli chiesi perché c'è gente che odia gli ebrei. «Per quasi duemila anni, dopo che gli ebrei sono stati cacciati dalla Giudea, i loro nemici usavano dire: tornate in Palestina. Questo era lo slogan di tutti gli antisemiti: tornate in Palestina, tornate laggiù. Un certo numero di giovani ebrei si sono decisi: bene, cerchiamo di farlo. Ma nel momento in cui arrivarono fu loro detto: tornatevene in Polonia, tornatevene in Russia, tornatevene in Germania. Direi che da sempre il mio popolo non ha mai avuto pace, non l'ha neppure adesso. Alcuni degli arabi, non tutti, dicono al popolo ebraico: torna in America, torna in Russia, torna in Polonia; e ancora i polacchi e i russi ripetono: tornate in Palestina. Si tratta di crudeltà umana. Questo è sionismo.»

Nel 1978 Isaac B. Singer fu invitato a Stoccolma: indossò, credo, per la prima volta il frac e ritirò il Premio Nobel.

Non ricordo chi lo ha detto, ma credo sia vero: anche chi ne ha pubblicati molti, in fondo, resta autore di un solo libro. Qualcuno perché ha da raccontare un'esperienza indimenticabile, il meglio o il peggio della sua storia.

Väinö Linna stava tagliando l'avena. Il cielo si era fatto scuro, minacciava la pioggia. Un bambino piccolo dormiva al riparo di un abete. Un cagnetto lappone correva abbaiando. I contadini caricavano in fretta il foraggio sui carri e lo sistemavano nelle stalle.

Linna calzava stivali di cuoio e indossava pantaloni corti, aveva le mani sporche di terra e di sudore. Ogni tanto si fermava, accendeva una sigaretta dal lungo bocchino di carta, quelle che i russi chiamano *papiroski*. Guardava preoccupato le nuvole nere; per due volte i fulmini gli avevano distrutto i raccolti e incendiato la casa. Ripose la falce sotto un albero e mi venne incontro sorridendo.

Väinö Linna aveva allora cinquant'anni, non era molto alto ma forte. In guerra era stato sergente dei mitraglieri e aveva combattuto per tre inverni nei boschi della Carelia. Adesso faceva l'operaio, montava macchine in uno stabilimento, era un bravo meccanico.

Non so come la gente si figura uno scrittore e la sua vita. Linna aveva una faccia comune, si intuiva che dietro di lui c'erano generazioni di braccianti e di tagliaboschi. Solo gli occhi, molto vivi, esprimevano una leggera malinconia e anche un ironico distacco. Era diventato famoso raccontando le vicende del suo plotone: un gruppo di soldati finlandesi mandati a sparare e a morire tra le foreste, i villaggi e le paludi del Nord.

Scriveva un poco ogni sera, dopo aver passato otto ore fra l'unto degli ingranaggi e il rumore degli attrezzi, si riempiva di caffè e di fumo, fin che era costretto ad appoggiare la testa sui fogli. Per tredici mesi, ogni sera, Väinö Linna tornava con i suoi compagni, li ritrovava nella memoria e nei sentimenti, tornava con Hientanen, con il tenente Koskela, con Letho, con il coraggioso Rokka che dava del tu anche ai generali.

Riaffioravano nella sua mente, ma senza rancore, così come lui e gli altri combattenti le avevano accettate, tante dolorose esperienze e volti duri e chiusi di studenti, di cacciatori, di guardiani di bestiame, di fabbricanti di cellulosa, e immagini e paesaggi che credeva cancellati dal tempo.

Il libro che Linna ha scritto si intitola *Croci in Carelia.* L'hanno tradotto in tutte le lingue del mondo; ogni famiglia finlandese ne aveva una copia. È un libro contro la guerra che è un male accettato con animo rassegnato, come il temporale che piega il grano e fa marcire la segala, come la morte che bisogna affrontare senza troppo smarrirsi, anche se, dice un personaggio, «uno non se la immagina quanta paura può avere un uomo».

È, in un certo senso, il diario di un piccolo popolo e di un grande esercito «che combatte da sei o settecento anni», come scrive Linna, «sempre affamato e lercio».

Questi soldati dal berretto di pelliccia e dalla casacca candida vanno, con poche armi, scarse munizioni e tanta fame, incontro a un avversario potente; sanno che le forze sono impari, sanno anche che, nonostante i sacrifici, sarà difficile farcela. «Un finlandese» dice un entusiasta «tiene testa a dieci russi.» «Può darsi,» risponde un camerata, un poco scettico «ma quando arriva l'undicesimo?»

Protestano per il poco cibo, magre polentine di

grano cotto e qualche scatoletta, la stanchezza è tanta che si addormentano nelle pozzanghere e il muschio umido fa da cuscino. Ogni giorno un compagno resta inchiodato dietro una grigia baracca di legno, o con il volto immerso in un torrente, o fra i pallidi ciuffetti dell'erica; bestemmiano, imprecano, ma obbediscono. «In alto la bandiera!» dice una strofa del loro inno, ma sono combattenti senza enfasi e il loro orgoglio è umano; odiano i discorsi, gli ordini del giorno, se ne infischiano perfino delle decorazioni. Amano il loro Paese, ma amano anche la vita.

«*Ruki Verch!*» gridano quando penetrano nelle trincee nemiche – e i soldati con la stella rossa sul berretto alzano le mani –, ma, in fondo, non disprezzano neppure quelli che stanno dall'altra parte e solo un invasato, travolto dalla rabbia, spara una raffica su tre prigionieri.

E la loro guerra, anche se provocata da ragioni profonde, è come una gara sportiva: come una battuta alla renna o una caccia all'orso, e è il più svelto e il più furbo che fa centro, come una corsa sugli sci, sui laghi gelati o sulle grandi pianure spazzate dal vento, e al traguardo arriva il più resistente. «Ma non siete capaci neppure di ammazzarmi!» grida un ferito alla spina dorsale, estenuato dallo spasimo, ai russi che dalle loro postazioni lo mitragliano, inutilmente, mentre lui si dissangua.

Poi, il 21 novembre 1944, il cannone tace. I carri armati sovietici, le batterie di *Katjuša*, le artiglierie, le squadriglie da bombardamento hanno tempestato per giorni e giorni i piccoli soldati finlandesi che portano le poche munizioni, i feriti e i morti sulle carrette, come ai tempi dello zar, come l'assiderata armata di Napoleone e anche i cavallini dalle lunghe criniere bionde impazziscono sconvolti dal fuoco e dal fragore, e fuggono tra la foschia con il loro carico di morti e di lamenti.

Muoiono gli uomini, i cavallini, gli alberi; un ramo di abete fa da croce, i pastrani proteggono dalla pioggia i feriti dalle bende sporche. Poi è la fine. «Un mio amico se ne andò proprio l'ultimo giorno,» raccontava Linna «una stupida scheggia, la mattina del 24 novembre.»

Dalla finestra si vedeva la campagna di Siuro, i muri della vecchia fattoria inceneriti dal fulmine, una stoppia che aspettava l'aratro, dei lecci, delle betulle, degli abeti. Con un elmetto, un compagno d'arma aveva fatto un paralume che illuminava la macchina per scrivere. La moglie di Linna, che passeggiava per casa scalza, come le contadine, addormentava il figlio piccolo e ascoltava i nostri discorsi.

Alle spalle di Linna non c'era la cultura, ma l'istinto, il sangue. «Ho visto Palazzo Vecchio,» diceva «è bello, sicuro, ma preferisco la mia capanna sul lago.»

Cominciava a piovere e come allora, il 24 novembre del 1944, ogni suono moriva nel silenzio del bosco. Si sentivano solo le gocce che battevano sulle foglie e facevano reclinare gli ultimi fiori. «Siamo ancora qui» diceva Linna, ma nella sua voce lenta non c'era allegria.

Qualcuno ha detto che «nel bene non c'è romanzo»: ma non è sempre vero. Avevano compilato una lista dei cento personaggi più importanti. Il suo nome c'era: dottor Selman Abraham Waksman. Quando lo incontrai aveva passato gli ottanta. Era nato in una casa dal tetto di paglia, a Novaja Priluka, un modesto centro dell'Ucraina, nella provincia di Kiev.

Un altro ebreo di origine russa o polacca, dunque, come il grande virologo Sabin, come il grande chirurgo Kantrowitz, come i due più interessanti romanzieri della nuova generazione americana, gli eredi di Hemingway e di Faulkner, Saul Bellow e Norman Mailer.

Suo padre era un calderaio, fabbricava pentole e tegami di rame, e sperava di poterlo mandare un giorno a studiare chimica a Zurigo. Il sogno della madre, una donna pia, era che Selman diventasse non ricco e famoso, ma saggio.

Nella famiglia Waksman la religione veniva osservata con rigore e il ragazzo cresceva imparando a memoria la preghiera quotidiana, frequentava la sinagoga, ascoltava la lettura della Bibbia e del Talmud. Così si sviluppava in lui, ha scritto Richard Carter, il senso della concentrazione.

Aveva ventidue anni quando emigrò in America. Trovò ospitalità nella fabbrica di un cugino e imparò le prime parole d'inglese: ma non si liberò mai dall'accento russo. Passò, da quel mondo colorito e umiliato che era il ghetto, dalla paura dei *pogrom*, dal contatto con la piccola gente delle botteghe e delle osterie, dalle umide case, dai chiusi cortili, da quelle storie di bevute, d'amore e di sangue raccontate da Isaak Babel', alla giovane e vertiginosa America del 1910, aveva studiato con tenacia e con fatica, vincendo il bisogno e superando i limiti posti dalle leggi zariste agli israeliti (solo a un esame lo avevano rimandato, e nella materia che prediligeva, la geografia, perché non ricordava che il fiume che attraversa Berlino si chiama Sprea) e si sentiva pervaso dal fervore e dall'entusiasmo. Non si iscrisse a medicina, perché un altro emigrato, il compatriota dottor Jacob Lipman, lo consigliò di seguire i corsi di agraria.

Era ancora studente quando, scrutando la vita dei minuscoli organismi che si nascondono nell'*humus*, s'imbatté «in creature stranamente belle, con lunghe diramazioni e molti colori», che altri avevano già individuate e classificate definendole actinomiceti. Waksman, contrariamente all'opinione dei suoi maestri, escluse che fossero un nuovo tipo di batteri e intuì che in futuro sarebbero stati la base per qualche sconvolgente applicazione nella lotta contro le infermità.

Nel 1918 il giovanotto partito dall'Ucraina raggiunse alcuni fondamentali traguardi: sposa la sorella del suo più caro amico, Deborah Mitnik, detta Bobili, diventa cittadino degli Stati Uniti, ha una laurea in biochimica e un posto, come microbiologo, nella Stazione agricola sperimentale di New Jersey. Lo stipendio non è alto: 1500 dollari all'anno, dai quali vanno detratte le imposte, ma l'incarico soddisfa le sue aspirazioni. Veramente, la definizione ufficiale nei quadri dell'istituto è «batteriologo», perché, nell'ambiente scientifico, i funghi e le muffe allora non venivano molto considerati.

Perfino nel 1942, quando era docente del Rutger's College of Agricolture, l'economo, in vena di economie, voleva licenziarlo: «Il professor Waksman» spiegava nel suo rapporto «passa il tempo a trastullarsi con i microbi del terreno». Da due anni stava già saggiando le proprietà dell'actinomicina, un farmaco «che aveva una notevole abilità nel distruggere virus», come aveva detto Waksman, «ma era quasi altrettanto bravo ad annientare anche gli animali sui quali lo sperimentavamo. La Casa Merck deve avere sacrificato diecimila topi prima che concludessimo che era troppo tossico per uso medico».

Nell'agosto del 1943, egli lega il suo nome a una scoperta definita, «uno dei dieci brevetti che hanno dato una nuova fisionomia al mondo». La streptomicina, che elimina i germi della tubercolosi e combatte e annulla anche quelli che resistono alla penicillina: i batteri della pertosse, della dissenteria, del tifo, della peste, della febbre maltese.

Un anno dopo, la provano nella celebre Clinica Mayo su un ristretto gruppo di pazienti colpiti da gravi affezioni ai polmoni, che si sottopongono volontariamente all'esperimento: il risultato è clamoroso. Waksman, da quel momento, diventa un personaggio pubblico. La sua fama supera le barriere accademiche, entra nella cronaca. Comincia la sua collezione di lauree *ad honorem* e nel 1952 Gustavo VI di Svezia gli concede la pergamena del Nobel: «Quella cerimonia» confesserà poi «rappresenta il punto culminante della mia vita». Gli onori si moltiplicano.

Waksman aveva il senso della sua importanza e difendeva le opere e il prestigio anche con tenacia eccessiva. Alcuni collaboratori lo accusavano infatti di essere troppo impegnato ad assicurarsi il posto che gli competeva fra i grandi dell'umanità e nel presentarsi con eccessiva benevolenza nelle vesti di un gran vecchio illuminato e sereno, ormai al di sopra delle polemiche, al quale doveva essere concesso il diritto di esercitare l'autorità senza tanti riguardi e anche con modi bruschi.

«Selman non è un sentimentale» diceva di lui la moglie. «Lo sono quando è necessario» era la sua giustificazione.

È con Fleming uno dei padri degli antibiotici, ma non aveva per il defunto collega una profonda considerazione.

«L'ho conosciuto molto bene» mi disse. «Egli venne nei miei laboratori, e ciò accadde una ventina di anni fa. Discutemmo alcuni problemi. Fleming era un batteriologo e un buon osservatore. Notò che certe muffe verdi impedivano lo sviluppo dei batteri, ma non era un biochimico. Intuì il valore potenziale di quella sostanza che aveva individuato in una provetta per combattere le infezioni, ma non prese molte iniziative. Il suo contributo più importante è l'esame del fenomeno e l'aver trovato una definizione del prodotto. Lei ricorda *Faust*? A un certo momento Goethe gli fa dire: "Se tu non capisci qualcosa dagli un nome e penseranno che sai tutto in proposito". Fleming è diventato famoso perché ha battezzato il farmaco; lo ha chiamato penicillina. Ma senza il lavoro di Chain e di Florey, le sue osservazioni sarebbero rimaste a un punto morto.»

Quando d'estate torno al mio villaggio di montagna, ritrovo per la festa di San Giacomo, il protettore, il vecchio compagno delle elementari, Alfonso Zobbi, minatore di Carbonia in pensione. Mi chiede dei viaggi che ho fatto e una domanda torna inesorabile: «Come sono le donne?».

Riaffiorano i discorsi dell'adolescenza, quando

si discuteva se erano meglio con le ascelle depilate o con qualche pelo, almeno d'inverno. L'interesse per le orientali, già così diverse, era ancora più vivo: parlavo delle 50.000 ragazze dei bordelli di Bombay, delle giapponesi e delle cinesi. A Saigon, quando c'era la guerra, 8000 signorine nei bar intrattenevano i giovanottoni del Texas o dello Iowa, ascoltavano malinconici discorsi, bevendo molte tazze di tè alla menta. Mi raccontarono l'infelice avventura del capitano Cane, consigliere militare, che si innamorò della bella Mai, fino al punto di volerla sposare.

Un giorno ricevette la visita improvvisa di un messaggero che lo avvertì: «Corri, Mai ha urgente bisogno di te».

C'era una sola jeep disponibile, quella di un amico, e il capitano lo pregò di accompagnarlo. Passò un'ora, Mai e l'ufficiale stanno in casa, l'amico sulla jeep dormicchia e aspetta, si annoia, accende il motore, salta in aria.

I fratellini della bella – otto e dieci anni –, che è scappata subito dopo l'esplosione, confessano di avere messo una bomba nel motore per far fuori l'amico di Mai. Peccato, si sono sbagliati.

Con Jas Gawronski andammo con una cannoniera a navigare sul Mekong, e tra i colleghi sulla piazza c'erano il giovane Hearst, padrone di tanti giornali, e John Steinbeck, già Premio Nobel.

Chiacchierava con gli anziani, sulla terrazza, di sera, bevendo whisky, mentre il cielo si illuminava di razzi e dei fari rossi degli elicotteri che andavano a bombardare.

Era guerra per tutti. L'esplosivo cadeva anche sulle risaie e sulle foreste dove si nascondevano i vietcong, sui fiori di loto e sui bambù, sulle dalie rosse, sui galli selvatici, i cervi, i porcospini, le scimmie, le tigri e le civette; qualche volta, di giorno, si sentivano solo i tamburi dei bonzi e le loro cantilene, il ronzio degli insetti, il gorgoglio delle onde. Ogni mattina, dall'aeroporto di Than Son Nhat, partiva un cargo che portava nelle stive tante casse avvolte in una bandiera a stelle e strisce: erano i morti che tornavano a casa. C'era una frase che si sentiva pronunciare ogni tanto come un sospiro. Voleva dire: «Domani felice».

Una sera, a Tokyo, alcuni amici mi accompagnarono in una casa da tè per passare un'ora con le geishe: spiegavano che era un breve viaggio nella tradizione, nella cultura giapponese. Resta nella memoria come una delle più estenuanti rotture di tasche vissute nelle mie trasferte in giro per il mondo. Ci togliemmo, come impone il rituale, le scarpe, ci sedemmo per terra e io a quel punto temetti di restare anchilosato per sempre. Avrei voluto chiedere una sedia, ma non si può andare contro le tradizioni di un popolo.

Entrarono le signorine, con le faccine ovali di porcellana, il chimono con ricami che esaltavano la primavera, fiori di pesco e giaggiolo, un trucco assurdo e pesante: volto, collo e spalle coperti da una biacca gessosa, capelli nerissimi, labbra segnate da un rosso sanguigno, parrucche vagamente rococò, la più giovane cantava accompagnandosi con una specie di chitarra. Tutto ispirava ironia, tranne il fatto che ero costretto a stare accosciato. Una intrattenitrice raccontava a un americano che lei non era Madame Butterfly, non aspettava nessun Pinkerton, guadagnava bene, andava a letto con chi voleva e investiva in Borsa. Sperava, un giorno, in un posto da segretaria.

Una ragazza venne a sedere accanto a me. Cominciò a cadere una pioggia fragorosa e calda. Fu una fortuna che non potevamo parlarci. Ci sono momenti in cui la malinconia si fa anche più cupa.

In Cina se ne vedevano ancora: avevano i capelli bianchi e pettinati con cura, i piedi molto piccoli e rattrappiti nelle pantofole di stoffa; camminavano in modo incerto, ondeggiante. Erano le vecchie donne che ricordavano il passato.

Appena compiuti gli otto o i nove anni, le madri fasciavano con bende rigide le estremità delle piccole, altrimenti, dicevano, non si sarebbero maritate. Era un canone della bellezza quell'arto mutilato, o forse anche un richiamo erotico. Tornava in mente, guardandole perdersi traballanti tra la folla, l'antica Cina, quella di Marco Polo, per molti aspetti immutata, dove l'illibatezza era una dote così apprezzata che le fanciulle, per preservarla, imparavano anche a muoversi in maniera particolare, mentre nel Tibet era ambita come sposa una ragazza che aveva avuto le sue esperienze e nel Turkestan una moglie poteva prendersi un altro uomo se l'assenza del consorte si prolungava oltre i venti giorni.

Era un mondo dove la parte più dura da vivere era quella di donna. Non aveva scelte, tutti disponevano di lei, non sfuggiva né alle fatiche né alle regole dell'obbedienza.

Nelle strade che traboccano di gente – e che nei film di una volta si riempivano di canti e di grida di mercanti, di esplosioni di risa – c'è ancora molta gaiezza, ma mancavano le voci tediose dei mendicanti. C'era chi assicurava che esistevano, ma io non li ho mai incontrati. Era un aspetto costante del panorama.

Ho rivisto i mercati dove andava a far commerci l'astuto campagnolo, con i cestoni di granaglie, di fagioli rossi e verdi, di miglio canarino, e i pesci di stagno e di fiume, i granchi formicolanti e le anguille serpentine, gli ortaggi ancora lucidi di brina, e ci sono sempre nelle cittadine della provincia i venditori ambulanti di dolci, di frutta e di canditi, di focaccine di patate arrostite negli oli aromatici, di polpettine di carne di maiale avvolte nella pasta e rosolate, di pasticcini di riso glutinoso.

Le vie descritte da Marco Polo «sono così diritte che lo sguardo spazia da una parte e dall'altra. E vi sono nelle città belli e ampi palazzi, e molti spaziosi alberghi, e case in gran numero». È così.

Nel formicaio domina la sudiceria: accattoni seminudi si disputano i rifiuti, torme di cani rognosi frugano ovunque.

Un occidentale, Andrej Topping, che passò l'infanzia a Shanghai, ricorda che ogni mattina, mentre lo portavano a scuola in risciò, passava accanto ai corpi di disgraziati morti durante la notte per fame o di malattia. Il contrasto tra l'esistenza dei miserabili e degli abbienti era tremendo. A un ricevimento, si vedevano donne cinesi in abiti di broccato, uomini d'affari eleganti, funzionari del governo mescolati a esponenti dell'*international set*.

La città era sporca e depravata, si raccoglievano appena prima della seconda guerra mondiale, cinquecento cadaveri ogni giorno, i conducenti dei carrettini fornivano ai loro clienti prostitute di ogni colore, razza, nazionalità e anche sesso. Nella Slit Alley di Kunming le malattie veneree avevano decimato le famose «Tigri Volanti», gli aviatori del generale Claire Lee Chennault.

È sparito l'aspetto folcloristico, ancora molto vivo agli inizi del Novecento, quando Maurice Paléologue si muoveva per la Pechino percorsa da birocci tartari, dalle lunghe file di cammelli e dalle carovane della Mongolia, tra lettighe azzurre o verdi, a seconda della dignità del proprietario, con il battistrada di palazzo che faceva largo tra musicanti e giocolieri, scrivani pubblici e ciarlatani, venditori di libri, rigattieri e antiquari, barbieri e ciabattini, tutti i mestieri possibili.

Nella Città Proibita o «interdetta» che si apriva eccezionalmente per un fotografo americano, con i suoi nove immensi palazzi, separati dalla corte, alloggiava l'imperatrice Tzü Hsi, che personificava tutti i vizi.

Concubina di un sovrano omosessuale, gli dà il figlio che non ha potuto avere dalla moglie legittima, ma lo fa assassinare per non dividere con lui (e con nessuno) il potere. Una istantanea lo ritrae sotto un largo ombrello, con le sue dame, che indossano abiti di splendenti sete; un'altra posa di quei giorni, scattata da un fotografo ambulante, mostra un fiero signore con un bambino accanto a un tavolo sul quale, segno di distinzione, è bene in vista una sveglia: il ragazzino si chiama Mao Tse-tung.

L'universo della reggia è fatto di veleni, di intrighi e di eunuchi che esercitano molte funzioni: in una sala vi sono tanti gettoni di giada quante sono le donne che vivono all'ombra del trono e sopra ognuno di essi è inciso un nome. Quando il sovrano ne restituisce uno all'evirato di turno, il servitore va ad accendere una lanterna sulla porta dell'appartamento della prescelta che capisce il messaggio. Poi, la sera, se la carica in spalla, avvolta in un mantello scarlatto senza maniche, e la recapita all'augusto destinatario. Al mattino dopo riferisce come è andata a un delegato speciale della Corte dei censori. Dietro le splendide apparenze di un cerimoniale millenario c'è, come afferma il grande scrittore Lu Hsun, una società «mangiatrice di uomini».

La Città Proibita sta ancora a dimostrarlo: soltanto il monarca con i suoi congiunti e cortigiani aveva goduto di quelle bellezze e solo lui, tra i molti diritti esclusivi, aveva anche quello di potere utilizzare i quattro colori fondamentali; il rosso era consentito anche al popolo, per tenere lontani gli spiriti maligni.

Ascoltai il racconto di un anziano signore che ricordava il passato. «Sono cresciuto a Shanghai dove per la prima volta ebbi occasione di vedere un vero straniero. A quel tempo la città aveva zone riservate alle "concessioni", che erano pattugliate da soldati di altri paesi con l'elmetto e, ai miei occhi, dall'aspetto truce. Ma ricordo anche di aver visto bellissimi parchi e stupendi edifici. All'ingresso di alcuni c'erano cartelli con la scritta: "Non sono ammessi cani e cinesi".»

Ma le contraddizioni continuano: le donne sono state liberate dalla secolare soggezione al volere del maschio, non c'è più, almeno come norma, il matrimonio combinato, nessuno è costretto a vendere le figlie, ma lo stesso salario, per la stessa fatica, è ancora, in molti casi, una semplice affermazione.

Ovunque sono andati i cinesi han portato con sé le pignatte: nella sola Parigi, 1600 ristoranti hanno per insegna degli ideogrammi. Il 90 per cento degli

80.000 cinesi che vivono in Gran Bretagna lavora nell'industria alimentare. La cucina è una espressione di civiltà, qualcosa che considerano un'arte, alla pari con la musica. Hanno alle spalle alcuni millenni di pratica attorno alle pentole.

Duemila anni prima che nascesse Cristo, disponevano già di un libro sulla gastronomia. Una culinaria povera, che rispecchia la loro indigenza. Afferma un detto popolare: «Io mangio qualsiasi cosa a quattro gambe che non sia un tavolo, qualsiasi cosa a due che non sia un mio parente: basta che cammini».

E così puoi trovarti nel piatto ranocchie affumicate, petali di magnolia, pinne di pescecane; a Nanchino si possono gustare cotolette di cane impanate (che hanno il sapore del vitellone perché li hanno ingrassati in gabbie, come le oche), gemme di bambù, radici di loto, frittelle di fiori di acacia o d'arancio.

Per diventare un cuoco esperto occorrono almeno tre anni di scuola, e due vengono impiegati a imparare a tagliar le vivande. Poi, per essere considerati bravi, bisogna mandare a memoria almeno tremila ricette. Quella dell'anatra laccata, ad esempio, risale alla dinastia Ming e il ristorante che la prepara, a Pechino, la serve da più di un secolo.

In Mao, che si è occupato di tutto, c'è una citazione per qualunque caso e per qualunque materia; figuriamoci se poteva scappargli la salute. «La medicina tradizionale cinese» ha detto «è un tesoro inestimabile. Sforziamoci per esplorarla e per elevarla ai massimi livelli.»

Cominciamo con le erbe: il ginseng è considerato un buon tonico del sistema nervoso. Se ne succhia la radice, che deve essere stagionata per almeno cinque anni, o si beve come infuso.

L'artemisia guarisce i pruriti vaginali e uterini e stimola l'attività sessuale femminile. Il tabacco va benissimo per gli eczemi e le malattie della pelle: far bollire le foglioline e poi impacchi sulle parti inferme. Ottimo lo spinacio come purgante, favorisce la digestione e calma la sete. La menta è prodigiosa contro l'affaticamento e il bruciore degli occhi, le frasche di sesamo sostituiscono l'aspirina.

Ma il vero prodigio è l'agopuntura: questa pratica miracolosa risale nientemeno che a cinquemila anni fa, quando un cacciatore, che soffriva di sciatica, fu trafitto al polpaccio dalla lancia di un suo compagno: e la ferita lo guarì dal dolore.

Le trafitture non sono molto fastidiose, mentre è provato il loro effetto analgesico e curativo. Ho visto un giovanotto al quale avevano riattaccato una mano da sveglio: muoveva le dita e non aveva sofferto. Riferiscono di una donna liberata da un tumore alla gola in tredici minuti; dopo l'intervento si è seduta, ha mangiato un'arancia, si è alzata, rivestita, ha ringraziato il chirurgo ed è uscita nel corridoio.

È l'ora del tramonto; sulla piazza Tien An Men vecchi signori fanno volare gli aquiloni colorati nel cielo di perla. È un popolo gentile, e la Grande Muraglia è un simbolo di tenacia e di sentimenti pacifici. Quei 6000 chilometri di barriera, con le 25.000 torri, sono una difesa contro il nemico, un ostacolo per impedire che venga distrutta una altissima civiltà.

È da queste contrade che ci è venuta la bussola,

la polvere da sparo, che usavano per preparare i fuochi d'artificio per i giorni di festa, l'uso del cavallo, la ruota, l'intuizione dei caratteri mobili per la stampa, e ora, pur tra mille contraddizioni, cercano di insegnarci un senso pulito della vita per inseguire l'ideale, non raggiunto, dell'uguaglianza tra gli uomini.

INDICE DEI NOMI

171

Steinbeck, John 12, 72, 112, 159
Stone, Lewis 81
Strauss, Johann 101
Stroheim, Erich von 7
Sung, Maria 125
Swift, Jonathan 110

Tambroni, Fernando 42
Telesio, Giovanni 32, 36
Tiger Boy 94
Timofej 74
Tito (Josip Broz *detto*) 57, 115
Tolstoj, Antoinette 74
Tolstoj, Lev Nikolaevič 41, 73-75
Tomasi di Lampedusa, Giuseppe 29
Tommaso, santo 31
Topping, Andrej 162
Toro Seduto 85
Trockij, (Lev Davidovič Bronštejn *detto*) 58
Tucholsky, Kurt 122
Turiello, Margherita 91
Turiello, Saverio 81, 91-94
Tzu Hsi 163

Umberto II di Savoia 35
Ungaretti, Giuseppe 33

Verne, Jules 102
Villa, Pancho 14
Visconti, Luchino 31

Vitova, Hana 137
Vittorio Emanuele III re d'Italia 26
Volkonskij, conte 74
Vrangel', Pëtr Nikolaevič 127
Vulpius, Christiane 142

Wajda, Andrzej 100
Waksman, Selman Abraham 155-58
Walesa, Lech 133
Walewska, Maria 126, 136, 146
Weigel, Helene 123
Wellington (Arthur Wellesley, duca di) 109
Wenck, Walter 139
Wiechert, Ernst 41
Wilde, Oscar 109
Windsor, (Edoardo VIII, re d'Inghilterra *poi* duca di) 91
Wysocki, Pëtr 136
Wyszýnski, Stefan 134

Zacconi, Ermete 35
Zamboni, Anteo 37
Zanelli, Dario 9
Zehrer, Hans 53
Zinnemann, Fred 80
Zobbi, Alfonso 158
Zoli, Adone 23
Zweig, Stefan 20, 66

*Finito di stampare
nel mese di ottobre 2001 presso il
Nuovo Istituto Italiano d'Arti Grafiche - Bergamo*

Printed in Italy